Introduction to RUSSIAN

DENNIS WARD

Professor of Russian, University of Edinburgh

A series of twenty lessons
for listeners with no previous knowledge
of the language

First broadcast Autumn 1964
Starting 30 September
Wednesdays 6.35 p.m. – Third Network
Repeated Saturdays 10.55 a.m. – Home Service

BRITISH BROADCASTING CORPORATION

First published September 1964
Published by The British Broadcasting Corporation
35 Marylebone High Street, London W.1

Printed in England by Williams Lea
and Company Limited, London E.C.2
No 5823

CONTENTS

PREFACE

The purpose of this course of twenty lessons is to give you some idea of what Russian is like and provide you with a basis for further study. Inevitably, some things have had to be omitted, but I have tried to give you the essential fundamentals of the language. And since it is mainly the grammar of Russian which I want to introduce you to I have kept the vocabulary down to less than 200 words. In the first few lessons you will have to learn over a quarter of these words but afterwards, as the grammar becomes a little harder, you will find that the average number of new words per lesson is very low. All the words used are common words.

In following the course you should study the lesson in the book first, then listen to the broadcast and then, if you have time, study the lesson in the book again, before going on to the next lesson. I have assumed that some of you will not be familiar with grammatical terms, so I have explained them as simply as possible, sometimes in the book but more often in the broadcasts.

In preparing the course I have been helped by several people. Sue White produced a neat typescript from a manuscript that was sometimes like a patchwork quilt. Militsa Greene verified the Russianness of my Russian. Tony Cash, in producing the programmes, made many valuable suggestions for improvements, based on his own experience as a teacher of Russian. Arthur Langford took a constant and stimulating interest in the fortunes of this course of Russian for beginners. And Konstantin Irinsky patiently recorded in his fine voice the Russian that you will hear in the broadcasts. I am glad of the opportunity to record here my thanks to all these people.

D.W.

NOTES ON PRONUNCIATION

These notes do not constitute a systematic description of the pronunciation of Russian. They supplement the remarks made in the first few lessons of the booklet and the broadcasts.

LESSON 1

к, м, г, в are like English *k*, *m*, *g*, *v* respectively.

н, д, т are more or less like English *n*, *d*, *t* but the front of the tongue touches the upper front teeth.

р (= *r*) is slightly trilled.

а when accented or stressed is neither the *a* of Southern English 'cat' nor the *a* of 'father'. It is like the *a* in the North Country pronunciation of 'cat' or the *a* in German 'hat' and French 'chat'.

о sounds like the English word 'awe', *never* like the *o* in 'hot' or the *o* in *cold.*

When it comes immediately in front of the accent or stress, or right at the beginning of a word о sounds exactly like а.

Both а and о sound like the *a* in 'China': (*a*) when they come before the accent (but not *immediately* before or right at the beginning of the word) and (*b*) when they come after the accent, as in ка́рта 'map' and го́род 'town'.

э sounds like the English word 'eh' or the English word 'air' (pronounced, of course, without an *r*-sound at the end).

е represents the same vowel sound as э but it produces an effect on the preceding consonant. It makes the preceding consonant 'soft'. This is a technical word, meaning that there is a *y*-sound (like the *y* of 'yield') fused with the consonant. The effect of е on д is to produce in addition a very slight suggestion of *z* attached to the д. If there is no consonant in front of е the *y* is heard as an independent sound.

у sounds like English *oo* and и sounds like English *ee.* и also has the 'softening' effect.

я represents the same vowel sounds as а but also produces the softening effect on preceding consonants. When there is no consonant in front of it the *y* is heard as an independent sound.

The consonants *b*, *v*, *d*, *z*, *g* are known as 'voiced' consonants. To each of them corresponds a 'voiceless' consonant:

b	*v*	*d*	*z*	*g*
p	*f*	*t*	*s*	*k*

In Russian a voiced consonant is replaced in pronunciation by its voiceless counterpart at the end of a word. So the д at the end of го́род 'town' is pronounced as т.

LESSON 2

б, з, с, п, ф are like English *b, z, s, p, f*, respectively.

ж is like the sound represented by *s* in 'leisure', 'pleasure'. It differs from the English sound in that the tongue is pulled further back in the mouth.

Unaccented е sounds like English *i* (as in 'bit'). If there is no consonant in front of it the *y*-sound is very faint or entirely absent, as in зна́ет.

л corresponds to English *l* but it has what is known as a very 'dark' quality about it. Try to pronounce the English vowel *oo* at the same time as you pronounce *l* and you will reach something like the Russian л.

Russian soft л (as in лес) is quite different. It is an *l* pronounced with the front of the tongue pushed up towards the roof of the mouth. Try to pronounce *y* at the same time as *l* and you will reach something like the Russian soft л.

ц is like the *ts* of English 'bits'.

ч is like the *ch* of English 'chip'.

There is no sound quite like ы in English. It is a vowel of the *i*-type (as in 'bit'), but the tongue is pulled back in the mouth while uttering it. Say the vowel of the English word 'book' – or say the whole word – but say it with your lips *spread* as if you wanted to say 'beak'. The resulting vowel sound will be like Russian ы.

ю represents the same vowel sound as у but produces the softening effect or, when not preceded by a consonant, has an independent *y*-sound in front of it.

LESSON 3

х sounds like *ch* in the Scots pronunciation of 'loch', but with slightly less friction. Put your tongue almost in the position for *k* so that a space is left for air to brush over the back of the tongue and produce a slight friction. If you cannot do this, use English *h*.

ш is like English *sh* but the tongue is further back in the mouth. It is the voiceless counterpart of ж (Lesson 2). This letter is never softened. After it the letter и represents the sound ы.

ё represents the same vowel sound as о but produces the softening effect or, when not preceded by a consonant, has an independent *y*-sound in front of it.

Notice that the б in хлеб is at the end of the word and is therefore pronounced as п.

й represents the *i*-sound of diphthongs, as in English 'boy' or 'toy', but is nearer in quality to Russian и.

щ is like *shch* in 'Ashchurch' or like a long English *sh*, as in 'fish-shop'.

ж, like ш, is never softened by following vowel letters. In the word же́нщина the letter е has no effect on ж and there is no *y*-element at all. Pronounce it as if it were spelt 'жэ́нщина'.

The difference between оте́ц and отъе́зд (apart from the final consonants) is as follows: in the first word the *y* is fused with the т, softening that consonant and producing a very slight suggestion of *s* (cf. soft д, Lesson 1), whereas in the second word the т is not soft and there is an independent *y* between it and the following vowel.

The phrase в сад 'into the garden' is pronounced as if written 'фсад'. In pronunciation, a voiced consonant is replaced at the end of a word by its voiceless counterpart (see Notes on Lesson 1 above). This replacement also happens *within* a word if the voiced consonant (б, в, г, д, ж or з) is followed by one of the letters к, п, с, т, ф, х, ц, ч, ш or щ. Moreover a combination of a short, common preposition and a following word is pronounced as if it were a single word – hence 'фсад' and, in the next sentence, 'фко́мнату'.

Conversely, the voiceless consonants к, п, с, т, ф and ш are replaced in pronunciation by, respectively, г, б, з, д, в, and ж if they occur in front of any of the letters г, б, з, д or ж (the consonants л, м, н, р *and* в do not produce this effect).

LESSON 5

Note that in за́втракают and за́втракает the letter в occurs before a voiceless consonant (т) and is therefore pronounced as ф.

LESSON 7

In глаз the з is at the end of the word and is therefore pronounced as с.

The letter ь after ш at the end of a word has no effect whatever on this consonant, so the second person singular чита́ешь, for example, is pronounced as if spelt 'чита́еш'.

LESSON 8

ц, like ж and ш, is not softened by the softening vowel letters, so целу́ю is pronounced as if spelt 'цэлу́ю' and э here, being unaccented, sounds like an unaccented ы.

SPELLING

1 The letters к, г, х, ш, ж, ч and щ can be followed by и but never by ы. After ш and ж, however, the letter и has the same sound as the letter ы.

2 The letter ц *can* be followed by и, as well as by ы, but in either case one pronounces ы.

3 Only in a few words (none of which is used in this book) are the letters к, г, х, ш, ж, ч, щ and ц followed by я or ю. The vowel letters which *can* follow them are а, е, и, о and у.

4 In the adjective and pronoun endings ого and его the letter г has the value of в.

5 When writing Russian a bar may be placed over т and under ш. This is optional and its purpose is to avoid confusion when writing at speed with other, similar letters: eg тишина (See pages 1 and 8)

ABBREVIATIONS

acc.	accusative	neut.	neuter
dat.	dative	nom.	nominative
f. or fem.	feminine	pfv.	perfective
gen.	genitive	pl.	plural
impfv.	imperfective	prep.	prepositional
infin.	infinitive	pres.	present
instr.	instrumental	p.t.	past tense
m. or masc.	masculine		

A few useful publications for the beginner can be found at the end of this book.

LESSON 1

1 LETTERS USED:

а вгде и к мно р ту э я
А ВГДЕ И К МНО Р ТУ Э Я

Take them in groups:

атомек *Аа Тт Оо Мм Ее Кк* *т̄* т	Not a Russian word but just a mnemonic: Russian and English have the 'atomek' weapon in common. These letters look like English letters and represent sounds not unlike those of their English counterparts. а – not quite like *a* in *cat*, not quite like *a* in *father*. т = *t*, о = *aw*, м = *m*, е = (*y*)*eh*, к = *k*.
врун *Вв Рр Уу Нн*	These look like English letters but they cheat – their sounds are different – and врун is the Russian for *liar*. в = *v*, р = *r*, у = *oo*, н = *n*.
и я *Ии Яя*	Mirror images of English letters – but quite different sounds. и = *ee*, я= *yah*.
г *Гг*	Looks like a gallows, and represents the 'g' of that word.
э *Ээ*	A Greek-like 'e' backwards, representing *eh*
д *Ддд*	A 'D' gone Gothic and spiky.

2 READING PRACTICE

на	*на*
да	*да (да)*
ка́рта[1]	*карта (карта) (карта)*
дом	*дом*
он	*он*
окно́	*окно*
она́	*она*
э́то	*это*
го́род	*город*

[1] The accent-mark (ʹ) over a vowel letter means that that vowel is the accented one in the word.

нет	нет
где	где
тут	тут
Ива́н	Иван
Мари́я	Мария
я	я

3 WORDS USED IN ORDER OF FIRST APPEARANCE:

э́то	this (that, it)	Ива́н	John
дом	house	Мари́я	Mary
ка́рта	map	нет	no
и	and	не	(is) not
го́род	town	кто	who
тут	here	я	I
там	there	где	where
да	yes	Ве́ра	Vera
окно́	window	он	he, it
ко́мната	room	она́	she, it
		оно́	it

4 ELEMENTARY GRAMMAR

There is no word for 'a' or 'the' in Russian:

дом = 'a house' or 'the house'
ка́рта = 'a map' or 'the map'

There is no word corresponding to English 'is', 'are', 'am':

Э́то дом = 'This . . . house' i.e. 'this is a house'
Э́то ка́рта = 'This . . . map', i.e. 'this is a map'
И э́то го́род
Дом тут
Ка́рта тут

5 QUESTIONS AND ANSWERS

Questions can be made by keeping the same word-order as in a statement, but using a different intonation.

Дом тут? – Да, дом тут.
Ка́рта там? – Да, ка́рта там.

Окно́ там?
Да, окно́ там.
Э́то ко́мната?
Да, э́то ко́мната.
Дом и ко́мната тут?
Да, дом и ко́мната тут.

Ивáн тут?
Да, Ивáн тут.
Э́то Мари́я?
Да, э́то Мари́я. Ивáн и Мари́я тут.
Дом тут?
Нет, дом не тут.
Окнó там?
Нет, окнó не там.
Э́то кóмната?
Нет, э́то не кóмната.
Э́то кáрта? – Нет, э́то не кáрта.
Э́то гóрод? – Нет, э́то не гóрод.
Ивáн тут? – Нет, Ивáн не тут.
Кто тут? Мари́я тут. Я тут.
Где Ивáн?
Ивáн там.
Где окнó?
Окнó тут.

6 PRONOUNS AND GENDERS[1]

(*a*) Nouns and pronouns ending in a consonant letter belong to the 'masculine gender';

(*b*) Nouns and pronouns ending in а or я, belong to the 'feminine gender';

(*c*) Nouns and pronouns ending in о, belong to the 'neuter gender': (except кто 'who', which is masculine).

A pronoun must be of the same gender as the noun it stands in place of:

Ивáн тут	Он тут
Вéра тут	Онá тут
Окнó тут	Онó тут
Где дом?	Он тут.
Где кáрта?	Онá тут.

7 DIALOGUE[2]

— Э́то кáрта?
— Нет, э́то не кáрта.
— Где кáрта?
— Онá там.
— Э́то гóрод?
— Нет, э́то не гóрод.

[1] Grammatical terms which are not explained in the booklet are explained briefly in the broadcast lessons.

[2] Dialogue is indicated in Russian by a dash before each speech.

— Где гópод ?
— Гópод тут. Он тут.
— Нет, гópод не тут. Он там.
— Да, гópод там.
— И э́то дом ?
— Да, э́то дом.
— Ива́н тут ?
— Нет, Ива́н не тут .
— Где Ива́н ? Где он ?
— Он там. Где Ве́ра ?
— Она́ там. Ива́н и Ве́ра там.

LESSON 2

1 NEW LETTERS USED IN THIS LESSON

Б б	*Б б*	=	b
Ж ж	*Ж ж*	=	‘zh’ (the sound of ‘s’ in ‘leisure’)
Л л	*Л л*	=	l
З з	*З з*	=	z
С с	*С с*	=	s
П п	*П п*	=	p
Ф ф	*Ф ф*	=	f
Ц ц	*Ц ц*	=	ts (the sound of ‘ts’ in ‘hats’)
Ч ч	*Ч ч*	=	ch
Ы ы	– *ы*	=	‘y’ or ‘i’ (see the section on pronunciation and listen carefully to the broadcasts)
Ю ю	*Ю ю*	=	yoo (or ‘oo’ with the ‘y’ fused with the preceding consonant)

а **б** в г д е **ж з** и к **л** м н о **п** р **с** т у **ф ц ч** **ы** э **ю** я

А **Б** В Г Д Е **Ж З** И К **Л** М Н О **П** Р **С** Т У **Ф Ц Ч** **Ы** Э **Ю** Я

2 READING PRACTICE

брат *брат*
журна́л *журнал*

зна́ет	знает
сло́во	слово
лес	лес
сад	сад
профе́ссор	профессор
оте́ц	отец
чита́ет	читает
сын	сын
вы	вы
мы	мы
лю́бит	любит

3 NEW WORDS

по́ле	field	лю́бит	loves, likes
чита́ет	reads	оте́ц	father
журна́л	magazine, periodical	что	what; that
вопро́с	question	сад	garden
понима́ет	understands	а	but, and
профе́ссор	professor	до́ктор	doctor
сло́во	word	лес	wood, forest
говори́т	speaks, says	сын	son
		друг	friend

4 NEUTER NOUNS AND PRONOUNS

Nouns and pronouns ending in the letter е, as well as those ending in о (see Lesson 1), are also neuter, e.g.:

по́ле   field

5 NOMINATIVE, ACCUSATIVE AND PRESENT TENSE

The nominative case is the form which a noun (or pronoun) takes when it is the subject of a sentence, as in

Окно́ там

Дом тут

or when it is the 'complement' in an 'is-sentence', as in

Э́то дом

The accusative case is the form which a noun (or pronoun) takes when it is the object of a verb (i.e. when the thing which it expresses is the recipient of an action). For many nouns the accusative looks like the nominative.

The present tense is the form of a verb which tells us that the action is going on at the present time or is performed regularly.

There is only one present tense in Russian, so чита́ет, for example, means 'reads' or 'is reading'. This form, the one which expresses '(he, she or it) does' or 'is doing', is called the 'third person singular'.

Verbs that have the ending ет in the third person singular, such as

читáет	'reads'
понимáет	'understands'

are called 'first conjugation' verbs. Those that have the ending ит in the third person singular, such as

говори́т	'says'
лю́бит	'loves'

are called 'second conjugation' verbs.

The commonest type of first conjugation verb is that with a in front of the ending ет –

Type 1, the читáет-type.

Ивáн читáет журнáл
Ивáн читáет вопрóс
Кто понимáет вопрóс?
Мари́я понимáет вопрóс.
Мари́я понимáет вопрóс?
Понимáет Мари́я вопрóс?
Профéссор читáет слóво

Кто говори́т?
Отéц говори́т.
Что он говори́т?
Он говори́т, что он лю́бит сад.
А дóктор лю́бит лес.

6 NEGATION

Verbs are made negative by putting не 'not' in front of them:

Он не читáет
Он не понимáет
Он не говори́т
Онá не лю́бит

7 GENITIVE

To express 'of' or 'apostrophe *s*', Russian has a special form of the noun called the 'genitive case'.

The genitive of nouns ending in a consonant letter is formed by adding a to the nominative:

дóктор	'doctor'	дóктора	'of the doctor' or 'doctor's'

Э́то сад дóктора
Что э́то? – Э́то журнáл дóктора.

Кто читáет журнáл дóктора ? – Сын читáет журнáл дóктора.

Где окнó дóма ? – Окнó дóма там. Онó там.
Э́то кóмната Ивáна
А э́то кóмната отцá

Отцá is the genitive of отéц. Some nouns have the vowel е in the nominative case but not in the genitive or any other case. A vowel that 'disappears' like this is called a 'mobile vowel'. Отéц 'father' has a mobile vowel, so its genitive is отцá.

Э́то друг отцá
Кóмната дрýга тут
Он сын профéссора
Профéссор читáет журнáл дóктора
Он понимáет журнáл дóктора
Он друг дóктора
Он лю́бит дом и сад дóктора

N.B. The genitive has other functions besides expressing possession.

8 DIALOGUE

— Что э́то ? Э́то дом профéссора ?
— Нет, э́то не дом профéссора. Э́то дом дóктора.
— Кто дóктор ? Он друг профéссора ?
— Нет, он не друг профéссора. Дóктор – сын профéссора[1].
— Профéссор лю́бит дом сы́на ?
— Он говори́т, что он лю́бит дом сы́на. А сын лю́бит сад отцá.
— Где отéц ?
— Он там.
— Что он читáет ?
— Он читáет журнáл сы́на.
— Он понимáет журнáл сы́на ?
— Он говори́т, что он понимáет журнáл сы́на.
— Нет, он не говори́т, что он понимáет. Он говори́т, что он не понимáет.

[1] When two nouns are linked in a sentence of this type ('A is B'), Russian has a dash where English has 'is' or 'are'.

LESSON 3

1 NEW LETTERS

Х	х	*Х х*	= 'kh' (the sound of *ch* in Scots *loch*)
Ш	ш	*Ш ш ш̱*	= sh
Ь	ь	*- ь*	= has no sound of its own; shows that preceding consonant is 'soft'.
Ё	ё	*Ё ё*	= yaw (or 'aw' with the 'y' fused with the preceding consonant).

The letter Ё, ё is simply a special form of Е, е and is not provided with the two dots in normal printed matter, except in a very few instances, to avoid ambiguity. Ё, ё is always accented, so there is no need to put an accent-mark over it.

а б в г д е ж з и к л м н о п р с т у ф **х** ц ч **ш** ы **ь** э ю я

А Б В Г Д Е Ж З И К Л М Н О П Р С Т У Ф **Х** Ц Ч **Ш** Ы **Ь** Э Ю Я

2 READING PRACTICE

хара́ктер	*характер*
дух	*дух*
хлеб	*хлеб*
Ма́ша	*Маша (Маша)*
спра́шивает	*спрашивает*
хорошо́	*хорошо*
ско́лько	*сколько*
понима́ть	*понимать*
несёт	*несёт*
идёт	*идёт*

3 NEW WORDS

ме́сто	place, room
план	plan
жена́	wife
ма́ло	little, not much
мно́го	much, a lot, many
хлеб	bread
нет	there is/are no(t)
Ма́ша	Masha (pet-name for Mary)
де́лает	does, is doing
покупа́ет	buys, is buying
почему́	why
потому́ что	because
для (+ gen.)	for
от (+ gen.)	from
до (+ gen.)	to, up to, until
село́	village
далеко́	far, a long way
недалеко́	not far, near
хорошо́	well; good, all right
до́ма	at home
туда́	thither, there
несёт	is carrying
идёт	is going/coming
спра́шивает	asks

4 GENITIVE – NEUTER AND FEMININE NOUNS

Neuter nouns that end in о form the genitive by replacing the о by а:

окно́	'window'	–	окна́
сло́во	'word'	–	сло́ва
ме́сто	'place'	–	ме́ста

Feminine nouns that end in а form the genitive by replacing the а by ы:

ко́мната	'room'	–	ко́мнаты
жена́	'wife'	–	жены́

Э́то план окна́
Э́то план ко́мнаты
Э́то ко́мната жены́

5 QUANTITY

The genitive is used in expressions of quantity, for example with such words as

ма́ло	'little', 'not much'
мно́го	'much', 'a lot'
ма́ло хле́ба	мно́го хле́ба

Тут ма́ло ме́ста
Там мно́го ме́ста

'Negative quantity' is expressed by нет 'there is/are no', 'there is/are not (any)', which also requires the genitive case.

Нет хле́ба
Нет ме́ста
Нет ка́рты
Тут нет ка́рты

6 DIALOGUE 1

— Где Ма́ша?
— Она́ там.
— Что она́ де́лает?
— Она́ покупа́ет хлеб.
— Она́ покупа́ет мно́го хле́ба?
— Нет, она́ покупа́ет ма́ло хле́ба.
— Почему́ она́ покупа́ет ма́ло хле́ба?
— Потому́ что нет ме́ста.

7 GENITIVE WITH PREPOSITIONS

The prepositions для 'for', от 'from', до '(up) to', require the noun to be in the genitive case:

Э́то для сы́на

А э́то для отца́
От села́ до го́рода далеко́

8 ADVERBS

Many adverbs in Russian end in o. Далеко́ 'far', 'a long way', and недалеко́ 'not far', 'near' are adverbs.

Хорошо 'well' is also an adverb.

Он хорошо́ чита́ет
Он чита́ет хорошо́

An adverb placed after a verb is given emphasis by this position. The position in front of the verb is 'neutral'.

Other adverbs are:

до́ма	'at home'
туда́	'there, thither' (i.e. *motion* implied)
там	'there' (*location* implied)

9 FIRST CONJUGATION – TYPE 2

Some first conjugation verbs have a consonant before the ending ет. In this course they are called 'Type 2 of the first conjugation'.

In many such verbs the end ет is stressed (accented) and then e has the value ё:

несёт	'is carrying/taking'
идёт	'is going/coming'

are verbs of Type 2 ('the несёт-type').

10 DIALOGUE 2

— От села́ до го́рода далеко́ ?

— Нет, от села́ до го́рода недалеко́. Ве́ра идёт туда́. И сын идёт туда́. Ве́ра – жена́[1] до́ктора. Она́ покупа́ет хлеб. Сын спра́шивает, почему́ она́ покупа́ет хлеб. Он хорошо́ зна́ет, что до́ма нет хле́ба. Она́ покупа́ет хлеб, потому́ что оте́ц до́ктора лю́бит хлеб. И оте́ц жены́ лю́бит хлеб.

— Кто несёт хлеб ?

— Сын несёт хлеб. Э́то хлеб для жены́ до́ктора, для сы́на и отца́.

[1] See note to *Dialogue* on page 7.

LESSON 4

1 NEW LETTERS

Й	й	*Й й*	= 'y' as in boy, toy.
Щ	щ	*Щ щ*	= shch or shsh
Ъ	ъ	*– ъ*	= 'hard sign' – has no sound of its own, but shows that a preceding consonant is not pronounced soft.

а б в г д е ж з и й к л м н о п р с т у ф х ц ч ш
А Б В Г Д Е Ж З И Й К Л М Н О П Р С Т У Ф Х Ц Ч Ш

щ ъ ы ь э ю я
Щ Ъ Ы Ь Э Ю Я

2 READING PRACTICE

домо́й	*домой*	же́нщина	*женщина*
мой	*мой*	о́бщество	*общество*
Май	*Май*	оте́ц	*отец*
щека́	*щека*	отъе́зд	*отъезд*

3 NEW WORDS

де́вушка	girl
в (+ acc.)	into
его́	gen. and acc. of он and оно́
её	gen. and acc. of она́
него́	see Grammar 5
неё	see Grammar 5
отвеча́ет	answers, replies
хотя́	although
никто́	nobody

4 SPELLING

After К never write Ы: write И – and pronounce И:
де́вушки (gen. of де́вушка)
Э́то для де́вушки

After Ш never write Ы: write И – but pronounce it as Ы:
Ма́ши (gen. of Ма́ша) – pronounced 'Ма́шы'
Э́то для Ма́ши

5 ACCUSATIVE CASE–I

The accusative of nouns ending in a is formed by replacing a by y:

ка́рта – ка́рту   ко́мната – ко́мнату

Доктор покупа́ет ка́рту   *pocupaet.*

Оте́ц понима́ет Ма́шу   *Father understands Marsha*

Он лю́бит жену́   *junoo*   *He loves his wife*

Ива́н лю́бит де́вушку   *dievushku*   *John loves a girl*

6 ACCUSATIVE WITH PREPOSITION B

Ива́н идёт в го́род   Жена́ идёт в ко́мнату

Профе́ссор идёт в сад   Она́ несёт журна́л в ко́мнату

7 ACCUSATIVE CASE–II

Мари́я понима́ет вопро́с
До́ктор лю́бит лес
Сын чита́ет журна́л до́ктора
Она́ покупа́ет хлеб
Ива́н идёт в го́род

The accusative of masculine nouns ending in a consonant letter which denote *inanimate objects* is identical with the *nominative*. It is called the nominative-accusative.

BUT

The accusative of masculine nouns ending in a consonant letter which denote *animate beings* is identical with the *genitive*. It is called the genitive-accusative.

Оте́ц лю́бит сы́на
И сын лю́бит отца́
Оте́ц несёт сы́на
Профе́ссор понима́ет до́ктора
И до́ктор понима́ет профе́ссора

8 THIRD PERSON PRONOUN – CASES

nom.	*gen. and acc.*
он and оно́	его́ (pronounced as if spelt ево́!)
она́	её

Его́ and её as accusatives:

Мари́я понима́ет вопро́с. Мари́я понима́ет его́.
До́ктор лю́бит лес. До́ктор лю́бит его́.
Она́ покупа́ет хлеб. Она́ покупа́ет его́.
Оте́ц лю́бит сы́на. Оте́ц лю́бит его́.
Сын лю́бит отца́. Сын лю́бит его́.

alsa

Профе́ссор понима́ет до́ктора. Профе́ссор понима́ет его́.
До́ктор покупа́ет ка́рту. До́ктор покупа́ет её.
Оте́ц понима́ет Ма́шу. Оте́ц понима́ет её.
Он лю́бит жену́. Он лю́бит её.
Ива́н лю́бит де́вушку. Ива́н лю́бит её.

Его and её as genitives:

Э́то дом профе́ссора. Э́то его́ дом.
Э́то сад до́ктора. Э́то его́ сад.
Э́то ко́мната жены́. Э́то её ко́мната.
Э́то ка́рта де́вушки. Э́то её ка́рта.

9 THIRD PERSON PRONOUN – WITH PREPOSITION

When *controlled* by a preposition the third person pronoun acquires an initial н:

его́ – от него́, для него́
её – от неё, для неё

Э́то ка́рта для сы́на. Э́то ка́рта для него́.
Э́то ка́рта для де́вушки. Э́то ка́рта для неё.
Э́то журна́л от отца́. Э́то журна́л от него́.
Э́то журна́л от Ма́ши. Э́то журна́л от неё.

В сад идёт Ива́н. В него́ идёт Ива́н.
В ко́мнату идёт Ма́ша. В неё идёт Ма́ша.

Э́то сад. В него́ идёт Ива́н. Э́то сад до́ктора.
В его́ сад идёт Ива́н.
Э́то ко́мната. В неё идёт де́вушка. Э́то ко́мната Ма́ши.
В её ко́мнату идёт де́вушка.

10 CONTINUOUS PASSAGE

Э́то дом дру́га. Э́то его́ дом. Он до́ктор. Э́то его́ ко́мната.

В его́ ко́мнату идёт оте́ц. В неё идёт оте́ц.

Ко́мната отца́ не тут. Его́ ко́мната там. Э́то ко́мната для него́.

До́ктор спра́шивает, почему́ оте́ц идёт в его́ ко́мнату. Оте́ц отвеча́ет. Он говори́т, что он лю́бит ко́мнату сы́на, он лю́бит его́ ко́мнату. Да, он лю́бит её.

До́ктор не понима́ет его́. Он лю́бит жену́ и понима́ет её, а отца́[1] он не понима́ет, хотя́ он лю́бит его́.

Оте́ц спра́шивает, кто его́ понима́ет. И отвеча́ет, что никто́ не[2] понима́ет его́.

[1] Bringing forward the object of the verb like this puts emphasis on it.

[2] Two negatives do *not* make a positive in Russian. If you use a negative pronoun such as никто́ – 'nobody', you *have* to make the verb negative as well.

LESSON 5

1 NEW WORDS

ма́льчик	boy
кни́га	book
о́чень	very much, very
они́	they
домо́й	home(wards)
их	them
студе́нт	student
доро́га	road
магази́н	shop
шко́ла	school
центр	centre
за́втракают	(they) have breakfast, (за́втракает, has breakfast)
университе́т	university
слу́шают	(they) listen, (слу́шает, listens)

2 SPELLING

Г, like К, cannot tolerate Ы (see Lesson 4, Paragraph 4). Write И after Г:
кни́га 'book' – кни́ги 'books' (see below).

3 NOMINATIVE PLURAL

Most nouns that end in a consonant letter form the nominative plural by adding ы to the nominative singular:

план 'plan' – пла́ны 'plans'
сад 'garden' – сады́ 'gardens'

Nouns that end in a in the nominative singular form the nominative plural by replacing the a by ы:

ка́рта 'map' – ка́рты 'maps'
ко́мната 'room' – ко́мнаты 'rooms'

— Э́то пла́ны?
— Да, э́то пла́ны.
— А где ка́рты?
— Пла́ны и ка́рты там.
— Что там?
— Э́то сады́.

The accusative plural is the same as the nominative plural if the noun denotes an inanimate object:

Оте́ц лю́бит сады́
Мари́я понима́ет вопро́сы
Ива́н чита́ет журна́лы
Ве́ра покупа́ет ка́рты
Она́ лю́бит ка́рты

Since и (never ы) must be written after к (see Lesson 4, Paragraph 4) and г (see Paragraph 2 above) the nominative plural of

	де́вушка	'girl'	is	де́вушки	'girls'
of	ма́льчик	'boy'	is	ма́льчики	'boys'
and of	кни́га	'book'	is	кни́ги	'books'

Кто там? Э́то де́вушки?
Нет, э́то ма́льчики.
Что э́то? – Э́то кни́ги.
Мари́я чита́ет кни́ги
Она́ о́чень лю́бит кни́ги

4 PRESENT TENSE – FIRST CONJUGATION

'(They) read' is (они́) чита́ют. This form of the verb is called the 'third person plural'.

In Type 1 verbs of the first conjugation the ending ет of the third person singular is replaced by ют:

чита́ет – чита́ют
Мари́я и Ве́ра чита́ют журна́лы
До́ктор и оте́ц покупа́ют ка́рты
Де́вушки понима́ют вопро́сы
А ма́льчики не понима́ют
Кто отвеча́ет? – Де́вушки отвеча́ют.

In Type 2 verbs of the first conjugation the ending ет of the third person singular is replaced by ут:

несёт – несу́т
идёт – иду́т
Жёны иду́т в го́род
И ма́льчики иду́т в го́род
Они́ несу́т хлеб домо́й
Отцы́ иду́т в сад
Они́ несу́т журна́лы

5 NOMINATIVE PLURAL – MASCULINE NOUNS

Some masculine nouns form the nominative plural not with the ending ы but with the ending á (*N.B.* always stressed).

дом	–	домá
дóктор	–	докторá
гóрод	–	городá
профéссор	–	профессорá
лес	–	лесá

Он лю́бит лесá
Профессорá идýт в гóрод
Докторá покупáют кáрты

6 PRESENT TENSE – SECOND CONJUGATION

In second conjugation verbs the ending ит of the third person singular is replaced by the ending ят to form the third person plural:

говори́т	'says'	–	говоря́т	'(they) say'
лю́бит	'loves'	–	лю́бят	'(they) love'

Кто говори́т? – Отцы́ говоря́т.
Что они́ говоря́т?
Они́ говоря́т, что они́ лю́бят сады́.
А докторá лю́бят лесá.

7 NOMINATIVE PLURAL – NEUTER NOUNS

Neuter nouns that end in о replace the о by а to form the nominative plural. This ending is accented in some nouns but unaccented in others:

very many neuter nouns of two syllables that are not accented on the ending in the singular *are* accented on the ending in the plural:

слóво	'word'	–	словá	'words'
мéсто	'place'	–	местá	'places'

and very many neuter nouns of two syllables that are accented on the ending in the singular are *not* accented on the ending in the plural:

окнó	'window'	–	óкна	'windows'
селó	'village'	–	сёла	'villages'

The accusative plural of neuter nouns looks like the nominative plural.

nominative

Где óкна дóма?
Óкна дóма там. Они́ там.

accusative

Профессорá читáют словá
Мáльчики понимáют словá

8 ACCUSATIVE OF ОНИ́

The accusative of они́ 'they' is их 'them'. It refers to things or persons.

Ма́льчики понима́ют слова́. Они́ понима́ют их.
Отцы́ лю́бят сады́. Они́ лю́бят их.
Э́то профессора́; студе́нты лю́бят их.

9 CONTINUOUS PASSAGE

Э́то ка́рты: города́, сёла и леса́.

До́ктор покупа́ет ка́рты. Его́ жена́ и сын о́чень лю́бят ка́рты. Его́ оте́ц лю́бит города́, а до́ктор лю́бит сёла. И до́ктор и оте́ц лю́бят леса́. Они́ лю́бят их.

А э́то пла́ны. Э́то пла́ны го́рода: доро́ги, дома́, магази́ны, шко́лы. Э́то центр го́рода. Тут магази́ны, а э́то шко́лы.

Ма́льчики иду́т в шко́лу. Они́ несу́т кни́ги. Они́ чита́ют кни́ги и понима́ют их.

Кто идёт в центр го́рода, в магази́ны ? Де́вушки иду́т в магази́ны. Доктора́ до́ма. Они́ за́втракают.

А профессора́ иду́т в университе́т. Студе́нты иду́т в университе́т. Профессора́ говоря́т, а студе́нты слу́шают. Студе́нты понима́ют слова́ профе́ссора – они́ понима́ют их. Да, студе́нты говоря́т, что они́ понима́ют слова́ профе́ссора.

LESSON 6

1 NEW WORDS

когда́	when
пото́м	then
е́сли	if
мы	we
ско́лько (+ gen)	how many, how much
на	on
обе́дают	they have dinner
обе́даем	we have dinner
и́ли	or

2 PRESENT TENSE – FIRST PERSON SINGULAR

Я чита́ю means 'I read'. This form of the verb is called the 'first person singular'.

In Type 1 verbs of the first conjugation it ends in ю (which replaces the ет of the third person singular):

Я чита́ю Я понима́ю Я де́лаю
Я покупа́ю Я спра́шиваю Я отвеча́ю
Я за́втракаю Я слу́шаю

In Type 2 verbs of the first conjugation it ends in у:

Я несу́ Я иду́

In most second conjugation verbs the first person singular ends in ю[1]:

Я говорю́

Before this ending certain consonant changes take place. Б, for instance, changes to бл. So, while 'he loves' is он лю́бит, 'I love' is я люблю́, with the accent on the end, notice.

Я чита́ю кни́ги профе́ссора
Он говори́т и я понима́ю
Я не понима́ю. Не понима́ю.
Я покупа́ю журна́лы
Когда́ он говори́т, я отвеча́ю
Я за́втракаю до́ма
Я слу́шаю профе́ссора
Я несу́ кни́ги домо́й
Я иду́ в магази́н
Я говорю́, что не понима́ю
Я о́чень люблю́ его́ кни́ги
И его́ люблю́

3 CONTINUOUS PASSAGE 1

Я за́втракаю до́ма, пото́м иду́ в го́род.

Я несу́ кни́ги, потому́ что иду́ в университе́т.

Я иду́ в магази́н и покупа́ю журна́лы.

Пото́м иду́ в университе́т и слу́шаю профе́ссора. Он говори́т, я понима́ю и отвеча́ю.

Е́сли я не понима́ю, я говорю́, что не понима́ю. — Не понима́ю, говорю́. — Не понима́ю.

Я несу́ кни́ги домо́й и до́ма чита́ю кни́ги профе́ссора. Я понима́ю их. Я о́чень люблю́ его́ кни́ги. И его́ люблю́.

4 FIRST PERSON PRONOUN

The genitive and accusative of я 'I', the first person pronoun (singular), are both меня́.

[1] Certain letters, however, have to be followed by у, not ю (see page x).

Э́то для меня́?
Да, э́то от меня́.
Мари́я лю́бит меня́.
Да, жена́ лю́бит меня́.
Хотя́ она́ не понима́ет меня́.

5 PRESENT TENSE – FIRST PERSON PLURAL

Мы means 'we'. It is the 'first person pronoun plural'.

Мы чита́ем means 'we read'. This form of the verb is called the 'first person plural'.

In verbs of the first conjugation it ends in ем (unaccented in Type 1, accented in most Type 2):

Мы чита́ем
Мы понима́ем
Мы де́лаем
Мы покупа́ем
Мы спра́шиваем
Мы отвеча́ем
Мы за́втракаем
Мы слу́шаем
Мы несём
Мы идём

In verbs of the second conjugation it ends in им:

Мы говори́м
Мы лю́бим

Most second conjugation verbs have a fixed accent: говорю́, говори́т, говори́м, говоря́т.

Some are accented on the ending in the first person singular but shift the accent back one syllable after that: люблю́, лю́бит, лю́бим, лю́бят.

6 CONTINUOUS PASSAGE 2

Мы за́втракаем до́ма, пото́м идём в го́род.

Мы несём книги, потому́ что идём в университе́т.

Мы идём в магази́н, и покупа́ем журна́лы.

Пото́м мы идём в университе́т и там слу́шаем профе́ссора. Он говори́т, мы понима́ем и отвеча́ем.

Е́сли мы не понима́ем, мы говори́м, что не понима́ем. — Не понима́ем, говори́м. — Не понима́ем.

Мы несём книги домо́й и до́ма мы чита́ем книги профе́ссора. Мы понима́ем их. Мы о́чень лю́бим его́ кни́ги. И его́ лю́бим.

7 FIRST PERSON PRONOUN – PLURAL

The accusative and the genitive of мы 'we' are both нас:

Де́вушки лю́бят нас.
Потому́ что понима́ют нас.
Э́то для нас?
Да, э́то от нас.
Ско́лько нас? – Нас мно́го.

8 PREPOSITIONAL CASE

This case *has* to be used with a preposition. Hence its name. For most types of nouns it ends in e.

В with the prepositional case means 'in' (*located* in), whereas в with the accusative case means 'into' (*motion* into).

На with the prepositional means 'on', while на with the accusative means 'on to'.

в го́род	в го́роде
в магази́н	в магази́не
в университе́т	в университе́те
в село́	в селе́
в шко́лу	в шко́ле
в ко́мнату	в ко́мнате
на план	на пла́не
на ка́рту	на ка́рте
на доро́гу	на доро́ге

9 CONTINUOUS PASSAGE 3

Э́то ка́рта. На ка́рте го́род и село́.

Мы не в селе́, мы в го́роде.

В це́нтре го́рода – шко́ла и магази́ны. На доро́ге ма́льчики и де́вушки. Ма́льчики иду́т в шко́лу. В шко́ле они́ чита́ют кни́ги. Де́вушки иду́т в магази́н. В магази́не они́ покупа́ют журна́лы.

Мы студе́нты. Нас мно́го. Мы несём кни́ги и идём в университе́т.

В университе́те мы слу́шаем профе́ссора.

Профессора́ обе́дают до́ма и́ли в го́роде, а мы обе́даем там, в университе́те.

До́ма в ко́мнате отца́ кни́ги и план го́рода. Кни́ги на пла́не го́рода[1]. Оте́ц чита́ет их, пото́м я их чита́ю. Мы чита́ем кни́ги и журна́лы в его́ ко́мнате.

Я говорю́, что люблю́ кни́ги. Оте́ц понима́ет меня́. Он лю́бит кни́ги. Мы лю́бим их.

[1] The books are (lying) on the plan of the town.

LESSON 7

1 NEW WORDS

вы	you (sing. and pl.)
ты	you (sing.), thou
глаз	eye
у́хо	ear
рука́	hand, arm
с (+ instr.)	(together) with
за (+ instr. and acc.)	behind, beyond

2 PRESENT TENSE – SECOND PERSON

Вы means 'you'. It is the 'second person pronoun plural', used in speaking to more than one person *or* to one person with whom you are not on close terms.

Вы чита́ете means 'you read'. This form of the verb is the 'second person plural'.

In verbs of the first conjugation it ends in ете (unaccented in Type 1, accented in *most* Type 2):

Вы чита́ете
Вы понима́ете
Вы де́лаете
Вы покупа́ете
Вы спра́шиваете
Вы отвеча́ете
Вы слу́шаете
Вы за́втракаете
Вы обе́даете

Вы несёте
Вы идёте

In verbs of the second conjugation it ends in ите:

Вы говори́те
Вы лю́бите

Ты means 'you' also but is used only in speaking to one person with whom you are on close terms. You also use it in prayers, in speaking to children and to animals. It is the 'second person pronoun singular'.

Ты чита́ешь means 'you read'. This form of the verb is the 'second person singular'. In first conjugation verbs it ends in ешь (unaccented in Type 1, accented in most Type 2). The final ь has no effect on the ш.

Ты чита́ешь
Ты понима́ешь

Ты де́лаешь
Ты покупа́ешь
Ты спра́шиваешь
Ты отвеча́ешь
Ты слу́шаешь
Ты за́втракаешь
Ты обе́даешь

Ты несёшь
Ты идёшь

In second conjugation verbs it ends in ишь:

Ты говори́шь
Ты лю́бишь

Вы понима́ете ?	Ты понима́ешь ?
Вы не понима́ете.	Ты не понима́ешь.
Вы за́втракаете до́ма ?	Ты за́втракаешь до́ма ?
Что вы покупа́ете ?	Что ты покупа́ешь ?
Вы идёте в го́род ?	Ты идёшь в го́род ?
Что вы несёте ?	Что ты несёшь ?
Что вы говори́те ?	Что ты говори́шь ?
Вы не лю́бите его́ кни́ги?	Ты не лю́бишь его́ кни́ги ?

3 INFINITIVE

The infinitive ends in ть for most verbs, in ти (which is always accented) for many Type 2 verbs:

чита́ть	to read
понима́ть	to understand
говори́ть	to speak
люби́ть	to love
нести́	to be carrying
идти́	to be going/coming

4 COMPLETE PRESENT TENSE

чита́ть	говори́ть	нести́
я чита́ю	я говорю́	я несу́
ты чита́ешь	ты говори́шь	ты несёшь
он чита́ет	он говори́т	он несёт
мы чита́ем	мы говори́м	мы несём
вы чита́ете	вы говори́те	вы несёте
они́ чита́ют	они́ говоря́т	они́ несу́т

5 SECOND PERSON PRONOUN

The genitive and accusative of вы 'you' are both вас:

Э́то от вас?
Э́то для вас.
Вы лю́бите меня́? – Да, люблю́ вас.
Вы понима́ете меня́? – Нет, не понима́ю вас.

The genitive and accusative of ты 'you' are both тебя́:

Э́то от тебя́?
Э́то для тебя́.
Ты лю́бишь меня́? – Да, люблю́ тебя́.
Ты понима́ешь меня́? – Нет, не понима́ю тебя́.

6 INSTRUMENTAL CASE

In masculine nouns ending in a consonant letter and neuter nouns ending in о the instrumental case ends in ом:

nom.	*instr.*
сын	сы́ном
оте́ц	отцо́м
сло́во	сло́вом
село́	село́м

In feminine nouns ending in а the instrumental ends in ой or, less commonly, ою:

nom.	*instr.*
ка́рта	ка́ртой (ка́ртою)
жена́	жено́й (жено́ю)

The basic function of this case is to express the instrument with which or means by which or person by whom an action is performed:

Я чита́ю гла́зом
Я слу́шаю у́хом
Я де́лаю э́то руко́й

The instrumental is also used with prepositions. С with the instrumental means 'together with':

с отцо́м
с сы́ном
с ка́ртой
с жено́й

Note the idomatic use of с in such expressions as:

мы с отцо́м	'my father and I'
мы с жено́й	'my wife and I'
профе́ссор с жено́й	'the professor and his wife'

За with the instrumental means 'behind' or 'beyond' in the sense of 'located behind or beyond':

за до́мом
за ле́сом
за университе́том

With the *accusative* за means 'behind' or 'beyond' in the sense of 'motion to a position behind or beyond':

Он идёт за дом
Вы идёте за университе́т ?

За has other meanings too.

7 DIALOGUE

Мы с отцо́м идём в село́. Кто э́то ? Э́то профе́ссор с жено́й и сы́ном.

— Куда́ вы идёте ? спра́шивает оте́ц.

— Мы идём в го́род, отвеча́ет профе́ссор. — А вы куда́ идёте ?

— Мы с Ива́ном идём в село́. Вы зна́ете, где село́ ?

— Село́ там, за ле́сом, отвеча́ет профе́ссор.

— Куда́ ты идёшь ? оте́ц спра́шивает сы́на профе́ссора.

— Я иду́ в шко́лу, отвеча́ет он.

— Где шко́ла ?

— Шко́ла за университе́том.

— Что ты там де́лаешь ?

— Чита́ю кни́ги.

— И понима́ешь, что́[1] ты чита́ешь ?

— Да, понима́ю. Что э́то ?

— Э́то кни́га для́ тебя́, говори́т оте́ц и пото́м спра́шивает жену́ профе́ссора: — Вы идёте в университе́т? Что вы там де́лаете? Вы слу́шаете профе́ссора ?

— Да, слу́шаю.

— И понима́ете его́ ?

— Да, понима́ю.

— Э́то потому́ что вы лю́бите его́ ! говори́т оте́ц, пото́м спра́шивает профе́ссора: — Что вы несёте ?

— Э́то ка́рта для вас, отвеча́ет профе́ссор.

[1] When it is necessary to make it clear that что = 'what' and not 'that', an accent-mark is put over it.

LESSON 8

1 NEW WORDS

игра́ть	to play
о[1] (+ prep.)	about, concerning
целу́ю (infin. целова́ть)	I kiss
пла́чу (infin. пла́кать)	I cry
писа́ть (пишу́, пи́шешь etc.)	to write
письмо́	letter
бо́льше не	no longer, no more
до свида́ния	goodbye, *au revoir*

2 THREE VERBS

понима́ть	идти́	люби́ть
понима́ю	иду́	люблю́
понима́ешь	идёшь	лю́бишь
понима́ет	идёт	лю́бит
понима́ем	идём	лю́бим
понима́ете	идёте	лю́бите
понима́ют	иду́т	лю́бят

3 PRONOUNS – THIRD PERSON

nom.	*prep.*
он and оно́	нём
она́	ней

Э́то го́род. В нём шко́лы и дома́.
Э́то дом. В нём до́ктор, жена́ и оте́ц.
Э́то ка́рта. На ней города́ и сёла.
Э́то шко́ла. В ней ма́льчики чита́ют кни́ги.

nom.	*instr.*
он and оно́	им but ним when controlled by a preposition
она́	е́ю but ней or, less commonly, не́ю when controlled by a preposition

Она́ не чита́ет журна́л. Она́ игра́ет им.

[1] This word takes the form об before words beginning with a vowel, and обо before some words beginning with two consonants.

Э́то университе́т. За ним шко́ла.
До́ктор обе́дает. С ним обе́дает оте́ц.
Он не чита́ет кни́гу. Он игра́ет е́ю.
Э́то шко́ла. За ней магази́н.
Ма́ша обе́дает. С ней обе́дает Ива́н.

мы с отцо́м – мы с ним.
мы с жено́й – мы с ней.

nom.	*gen.*
они́	их but них when controlled by a preposition

Э́то их дом
Э́то кни́га от них
Э́то кни́га для них

nom.	*prep.*	*instr.*
они́	них	и́ми but ни́ми when controlled by a preposition

Э́то дома́. В них доктора́, профессора́ и их жёны.
Э́то кни́ги Ива́на. Ма́ша игра́ет и́ми.
Оте́ц обе́дает с ни́ми.

4 PRONOUNS – FIRST AND SECOND PERSON

nom.	*prep.*
я	мне
ты	тебе́
мы	нас
вы	вас

Он говори́т о тебе́.
Она́ говори́т о нас?
Нет, она́ говори́т о вас.
Вы говори́те обо мне?[1]

nom.	*instr.*
я	мной or мно́ю
ты	тобо́й or тобо́ю
мы	на́ми
вы	ва́ми

Кто обе́дает с ва́ми?

[1] обо is never accented. Like all the short, common prepositions, it is pronounced as if it were part of the word that follows it, so here the accent falls on мне: 'обомне́'

С на́ми обе́дает оте́ц.
Кто обе́дает с тобо́й?
Со мной[1] обе́дает оте́ц.

5 "Что с . . . ?" – "WHAT'S THE MATTER WITH . . . ?"

Что с Ива́ном? Что с ним?
Что с тобо́й?
Что со мной?
Да, что с ва́ми?

6 VERBS – TYPE 1a

целова́ть 'to kiss'
я целу́ю
ты целу́ешь
он целу́ет
мы целу́ем
вы целу́ете
они́ целу́ют
Я целу́ю жену́. Она́ целу́ет меня́.

7 VERBS – TYPE 3

пла́кать 'to cry'
я пла́чу
ты пла́чешь
он пла́чет
мы пла́чем
вы пла́чете
они пла́чут
Почему́ вы пла́чете? Я не пла́чу – она́ пла́чет.
писа́ть 'to write'
я пи́шу
ты пи́шешь
он пи́шет
мы пи́шем
вы пи́шете
они́ пи́шут
Оте́ц пи́шет
Что ты пи́шешь? Я пишу́ письмо́

[1] Со is the form that с takes before certain words. Pronounce these two words as one 'сомно́й'. cf. note on page 26.

8 CONTINUOUS PASSAGE

Э́то го́род. В нём шко́лы, дома́, магази́ны и университе́т. В них ма́льчики, де́вушки, студе́нты и профессора́.

Э́то университе́т. В нём студе́нты и профессора́. За ним шко́ла. В ней ма́льчики чита́ют кни́ги. Они́ чита́ют их. Ива́н не чита́ет кни́гу, он игра́ет е́ю.

За ней, за шко́лой — магази́н. В нём де́вушки. За ним, за магази́ном – дом. В нём до́ктор, жена́ и оте́ц.

До́ктор с жено́й обе́дают. С ни́ми оте́ц, но он не обе́дает с ни́ми – он пи́шет.

— Что ты пи́шешь ? спра́шивает до́ктор.

— Пишу́ письмо́ о вас, отвеча́ет оте́ц.

— Обо мне ?

— Нет, не о тебе́, о вас с жено́й.[1]

Жена́ пла́чет.

— Что с тобо́й ? спра́шивает до́ктор.

— Что со мной ?

— Да, почему́ ты пла́чешь ?

— Я пла́чу, потому́ что оте́ц не обе́дает с на́ми, а пи́шет письмо́ о нас.

До́ктор спра́шивает отца́:

— Почему́ ты пи́шешь и не обе́даешь с на́ми ?

Оте́ц отвеча́ет:

— Я бо́льше не пи́шу.

Жена́ до́ктора целу́ет его́.

— Что ты де́лаешь ? спра́шивает до́ктор.

— Целу́ю отца́, потому́ что он бо́льше не пи́шет, а обе́дает с на́ми.

Да, оте́ц не пи́шет – он обе́дает с ни́ми – и жена́ не пла́чет.

LESSON 9

1 NEW WORDS

к (+ dat.)	towards, to
дава́ть (даю́, даёшь, etc.)	to give
проси́ть	to ask, to request

[1] 'about you and your wife'. This is the prep. case of the kind of idiomatic expression illustrated in Lesson 7, paragraph 6.

плати́ть	to pay
два, две	two
три	three
четы́ре	four
фунт	pound
ши́ллинг	shilling
сто́ить	to cost

2 DATIVE CASE – NOUNS

The dative case of masculine nouns ending in a consonant letter and neuter nouns ending in o ends in у:

nom.	*dat.*
до́ктор	до́ктору
профе́ссор	профе́ссору
оте́ц	отцу́
го́род	го́роду
окно́	окну́
ме́сто	ме́сту
сло́во	сло́ву

The dative case of feminine nouns ending in a ends in e:

nom.	*dat.*
жена́	жене́
де́вушка	де́вушке
шко́ла	шко́ле

The basic meaning of the dative case is 'to'.

«Что э́то ?»[1] говори́т он сы́ну
Де́вушка не отвеча́ет до́ктору
Он пи́шет профе́ссору письмо́
Профе́ссор не отвеча́ет жене́
Он пи́шет де́вушке письмо́
Что он говори́т де́вушке ?

'To *talk* to' somebody is говори́ть с with the instrumental:

До́ктор говори́т с отцо́м
Он говори́т с де́вушкой
Он говори́т с ним
Он говори́т с ней
Я говорю́ с ва́ми
Вы со мной говори́те ?

Sometimes the dative is to be translated as 'for':

До́ктор покупа́ет жене́ кни́ги

[1] The 'arrow-heads' are Russian quotation marks. A dash before Что could have been used instead.

3 SPECIMEN DECLENSIONS

	masc.	*masc.* (animate)	*neut.*	*fem.*
nom.	го́род	оте́ц	окно́	жена́
gen.	го́рода	отца́	окна́	жены́
dat.	го́роду	отцу́	окну́	жене́
acc.	го́род	отца́	окно́	жену́
instr.	го́родом	отцо́м	окно́м	жено́й/-о́ю
prep.	го́роде	отце́	окне́	жене́

4 DATIVE WITH PREPOSITIONS

When 'to' means 'towards', 'in the direction of', then Russian has к with the dative case:

Я иду́ к отцу́. До́ктор идёт к це́нтру го́рода.

This simply gives the general direction, whereas:

До́ктор идёт в го́род implies that the town is his goal.

5 DATIVE CASE – PRONOUNS 1

nom.	*dat.*
он, оно́	ему́ (нему́ with a preposition)
она́	ей (ней with a preposition)

The complete declensions are:

	он оно́	она́
nom.	он оно́	она́
gen.	его́	её
dat.	ему́	ей
acc.	его́	её
instr.	им	е́ю
prep.	нём	ней

«Что э́то ?» говори́т он сы́ну. «Что э́то ?» говори́т он ему́.
Де́вушка не отвеча́ет до́ктору. Де́вушка не отвеча́ет ему́.
Он пи́шет профе́ссору письмо́. Он пи́шет ему́ письмо́.
Профе́ссор не отвеча́ет жене́. Профе́ссор не отвеча́ет ей.
Он пи́шет де́вушке письмо́. Он пи́шет ей письмо́.
Что он говори́т де́вушке ? Что он говори́т ей ?
Я иду́ к отцу́. Я иду́ к нему́. Я иду́ к жене́. Я иду́ к ней.

6 THE VERB дава́ть 'TO GIVE'

даю́
даёшь
даёт
даём
даёт
даю́т

Он даёт ей кни́ги.
Что э́то ты ей даёшь? [1]
Я даю́ ей кни́ги.

7 DATIVE CASE – PRONOUNS 2

nom.	*dat.*
я	мне
ты	тебе́
мы	нам
вы	вам

Что э́то ты мне даёшь?
Я тебе́ даю́ кни́ги.
Что э́то вы нам даёте?
Мы даём вам кни́ги.

8 VERBS – CONSONANT CHANGES

In the first person singular of second conjugation verbs certain consonants undergo a change:

б changes to бл (see Lesson 6)
с changes to ш (see below)
and т usually changes to ч (see below).

проси́ть 'to ask'	плати́ть 'to pay'
прошу́	плачу́
про́сишь	пла́тишь
про́сит	пла́тит
про́сим	пла́тим
про́сите	пла́тите
про́сят	пла́тят

Я прошу́ вас чита́ть
Он про́сит меня́ чита́ть
Я вам плачу́? – Да, вы мне пла́тите.

9 GENITIVE WITH '2', '3' AND '4'

With the numbers два (2), три (3) and четы́ре (4) and higher numbers ending in два, три, четы́ре the genitive singular is used:

два фу́нта	три фу́нта	четы́ре фу́нта
два ши́ллинга	три ши́ллинга	четы́ре ши́ллинга

Два has a feminine form, две (used with feminine nouns) – две кни́ги, две ка́рты.

[1] 'What is this you are giving her?'

10 CONTINUOUS PASSAGE

До́ктор идёт к це́нтру го́рода. Он идёт в магази́н и покупа́ет жене́ кни́ги. Он говори́т де́вушке: «Ско́лько э́то сто́ит?»

Де́вушка не отвеча́ет до́ктору. Пото́м он говори́т ей: «Я с ва́ми говорю́!»

Она́ отвеча́ет ему́:

— Вы со мной говори́те? Что э́то вы мне говори́те?

— Я спра́шиваю: — ско́лько э́то сто́ит?

— Три фу́нта и два ши́ллинга, говори́т она́ ему́.

— Я вам плачу́?

— Да, вы мне пла́тите, отвеча́ет она́.

Он пла́тит де́вушке. Он даёт ей три фу́нта и четы́ре ши́ллинга.

— Нет, говори́т она́, — не четы́ре ши́ллинга, а два ши́ллинга.

Она́ даёт ему́ два ши́ллинга.

Пото́м до́ктор идёт домо́й. Он даёт жене́ кни́ги.

— Что э́то ты мне даёшь? спра́шивает жена́.

— Я тебе́ даю́ кни́ги. Э́то для тебя́, от меня́.

Она́ целу́ет его́.

Оте́ц до́ма. Он пи́шет профе́ссору письмо́.

— Что ты пи́шешь? спра́шивает до́ктор.

— Пишу́ профе́ссору письмо́ о вас, отвечае́т оте́ц. Пото́м он про́сит сы́на чита́ть ему́ журна́л.

— Прошу́ тебя́ чита́ть мне журна́л, говори́т он сы́ну.

И до́ктор чита́ет ему́ журна́л.

LESSON 10

1 NEW WORDS

здра́вствуйте!	how do you do, good day, good evening, etc.
быть	to be
всегда́	always
у (+ gen.)	at, near, by (see also Paragraph 4 below)
вчера́	yesterday
по́сле (+ gen.)	after
за́втрак	breakfast

2 DECLENSION OF КТО 'WHO'

nom.	кто
gen.	кого́[1]
dat.	кому́
acc.	кого́[1]
instr.	кем
prep.	ком

Для кого́ э́то и от кого́? – Э́то для тебя́, от меня́.
Кому́ он пла́тит? – Он пла́тит де́вушке.
Кого́ она́ целу́ет? – Она́ целу́ет до́ктора.
С кем вы говори́те? – Я с ва́ми говорю́.
О ком вы пи́шете? – Я пишу́ о вас.

3 PAST TENSE

The past tense changes its ending according to the gender of the subject: it agrees with the gender of the subject.

For most verbs, remove the -ть of the infinitive and add -л to form the past tense *masculine*:

чита́-ть – чита́-л
Оте́ц чита́л
Он чита́л
Я чита́л
Ты чита́л

Add -а to the past tense masculine to form the past tense *feminine*:

чита́л – чита́л-а
Жена́ чита́ла
Она́ чита́ла
Я чита́ла
Ты чита́ла

Add -и to the past tense masculine to form the past tense *plural*:

чита́л - чита́л-и
Они́ чита́ли
Мы чита́ли
Вы чита́ли

Add -о to the past tense masculine to form the past tense *neuter*:

чита́л – чита́л-о

быть 'to be'
Он был. Я был. Ты был
Она́ была́. Я была́. Ты была́
Они́ бы́ли. Мы бы́ли. Вы бы́ли
Оно́ бы́ло. Э́то бы́ло

Оте́ц чита́л кни́гу
Я чита́л кни́гу
Жена́ чита́ла кни́гу

[1] pronounced as if spelt ково́!

Мы чита́ли кни́ги
До́ктор был там
Мы бы́ли в университе́те
Жена́ была́ в го́роде
Э́то бы́ло до́ма
Там бы́ло мно́го хле́ба
Ско́лько бы́ло?
Бы́ло ма́ло

Он за́втракал с ни́ми
До́ктор с жено́й за́втракали
Он не отвеча́л на вопро́сы
Жена́ отвеча́ла ему́
Оте́ц не слу́шал
Жена́ слу́шала
Что он де́лал?
Что ты де́лала?
Я покупа́л кни́гу
Она́ покупа́ла кни́гу
До́ктор всегда́ целова́л жену́
Она́ всегда́ целова́ла нас
Он хорошо́ знал э́то
А мы не зна́ли

До́ктор говори́л с жено́й
Мы говори́ли с отцо́м
До́ктор люби́л жену́
Жена́ люби́ла его́

4 THE PREPOSITION у

у means 'near' or 'by' in

у библиоте́ки у университе́та

У is also used in an idiom corresponding in meaning to 'to have'.

У отца́ журна́л	'Father has a magazine'
У отца́ кни́га	
У жены́ кни́га	
У него́ журна́л	
У вас кни́га?	
Да, у меня́ кни́га.	

The negative of these is made by means of нет (+ gen.):

У отца́ нет журна́ла	'Father hasn't a magazine'
У жены́ нет кни́ги	
У него́ нет журна́ла	
У вас нет кни́ги?	
Нет, у меня́ нет кни́ги.	

The past tense is formed by inserting the past tense of быть agreeing with the subject:

У отцá был журнáл 'Father had a magazine'
У отцá былá кни́га
У отцá в рукé былá кни́га

In the negative past tense you use нé было[1] (+ gen.):

У отцá нé было журнáла
У вас нé было кни́ги?
Нет, у меня́ нé было кни́ги.

5 CONTINUOUS PASSAGE

Они́ бы́ли дóма. Дóктор зáвтракал. Женá зáвтракала. Дóктор с женóй зáвтракали. Отéц был с ни́ми, но не зáвтракал.

У негó в рукé былá кни́га. Женá дóктора говори́ла емý, «Ты не зáвтракаешь? Почемý ты не зáвтракаешь?»

Но отéц не отвечáл на вопрóсы, потомý что он читáл. Он не слýшал, чтó[2] дóктор с женóй говори́ли.

Дóктор говори́л женé:
— Где ты былá вчерá?
— Я былá вчерá в гóроде.
— Что ты там дéлала?
— Я покупáла кни́гу.
— Почемý ты покупáла кни́гу?
— Потомý что у меня́ нé было кни́ги.
— У тебя́ нé было кни́ги? Я знáю, что у тебя́ былá кни́га.
— Да, у меня́ былá кни́га, но отéц читáл её.

Пóсле зáвтрака дóктор всегдá целовáл женý и говори́л:
— Я идý.

И отéц всегдá говори́л:
— Ты в университéт идёшь? До свидáния!
— Нет, я не идý в университéт, говори́л емý дóктор.

Отéц хорошó знал э́то.

[1] The negated past tense of быть is pronounced as if it were one word *with the accent on* не – 'нéбыл', 'нéбыло', 'нéбыли' – except in the feminine – не былá.

[2] See footnote 1 page 24.

LESSON 11

1 NEW WORDS

учи́тель (m.)	teacher
Кремль (m.)	Kremlin
из (+ gen.)	out of, from
мавзоле́й	mausoleum
музе́й	museum
Ле́нин	Lenin
уже́	already
влия́ние	influence
под (+ instr.)	under
неде́ля	week
земля́	land, earth
ста́нция	station
пло́щадь (f.)	square
револю́ция	revolution
Москва́	Moscow

2 CASE USED WITH NEGATED VERBS

With нет 'there is/are not' and не́ было 'there was/were not' the genitive is obligatory:

Нет журна́ла. Не́ было журна́ла.
У меня́ не́ было журна́ла.

With other negated verbs, in any tense, either the genitive or the accusative may be used to express the object of the action:

Нет, он не чита́л журна́ла. Нет, он не чита́л журна́л.

The *accusative* here states what action does not take place:

Нет, он не чита́л журна́л
'No, he was not (*doing what?* –) reading a magazine'

The *genitive* here states what object it is that is not the recipient of the action:

Нет, он не чита́л журна́ла
'No, he was not reading (*what?* –) the magazine'

3 'HARD – SOFT' VOWEL CORRESPONDENCES

hard	*soft*
а	я
у	ю
ы	и
о	е/ё

4 DECLENSION OF SOFT-ENDING NOUNS

In most cases the 'soft vowel' replaces the 'hard vowel' of the hard-ending declension, but there are a few other points of difference.

(*a*) i. Masculine ending in -ь

nom.	учи́тель	Кремль
gen.	учи́теля	Кремля́
dat.	учи́телю	Кремлю́
acc.	учи́теля	Кремль
instr.	учи́телем	Кремлём
prep.	учи́теле	Кремле́

У учи́теля в руке́ была́ кни́га
Он говори́т учи́телю «Что э́то?»
Мы зна́ем учи́теля
Они́ бы́ли с учи́телем
Они́ говори́ли об[1] учи́теле
Они́ иду́т из Кремля́
Они́ иду́т к Кремлю́

ii. Masculine ending in -й

nom.	мавзоле́й
gen.	мавзоле́я
dat.	мавзоле́ю
acc.	мавзоле́й
instr.	мавзоле́ем
prep.	мавзоле́е

Мы бы́ли в Мавзоле́е
Мавзоле́й за Кремлём? – Нет, Кремль за Мавзоле́ем.
От Кремля́ до Музе́я Ле́нина недалеко́
В Музе́е они́ говори́ли с учи́телем

(*b*) i. Neuter ending in -e

nom.	по́ле
gen.	по́ля
dat.	по́лю
acc.	по́ле
instr.	по́лем
prep.	по́ле

Учи́тель идёт к по́лю?
Он уже́ за по́лем
У учи́теля три по́ля

[1] See footnote on p. 25.

ii. Neuter ending in -ие

nom.	влия́ние
gen.	влия́ния
dat.	влия́нию
acc.	влия́ние
instr.	влия́нием
prep.	влия́нии

Она́ под его́ влия́нием
Мы говори́ли о влия́нии Ива́на

(*c*) i. Feminine ending in -я

nom.	неде́ля	земля́
gen.	неде́ли	земли́
dat.	неде́ле	земле́
acc.	неде́лю	зе́млю
instr.	неде́лей	землёй
prep.	неде́ле	земле́

ii. Feminine ending in -ия. iii. Feminine ending in -ь

nom.	ста́нция	пло́щадь
gen.	ста́нции	пло́щади
dat.	ста́нции	пло́щади
acc.	ста́нцию	пло́щадь
instr.	ста́нцией	пло́щадью
prep.	ста́нции	пло́щади

Мы бы́ли там неде́лю
Оте́ц лю́бит зе́млю. У отца́ не́ было земли́.
У учи́теля дом с землёй
До́ктор с жено́й иду́т на ста́нцию. Мы бы́ли на ста́нции.
Музе́й – на Пло́щади Револю́ции
От Кремля́ до Пло́щади Револю́ции недалеко́
Э́то за Пло́щадью Револю́ции
Они́ говори́ли с учи́телем о Револю́ции

5 CONTINUOUS PASSAGE

До́ктор с жено́й бы́ли в Москве́. Они́ бы́ли там неде́лю. С ни́ми был учи́тель. Он их друг. Он мно́го зна́ет о Москве́ и о Кремле́, и мно́го чита́л о Ле́нине и Револю́ции.

Они́ бы́ли с учи́телем в Музе́е Револю́ции. Там они́ говори́ли с учи́телем о Револю́ции. У учи́теля в руке́ была́ кни́га о Револю́ции, и кни́га о Кремле́. До́ктор чита́л кни́гу о Револю́ции, а кни́ги о Кремле́ он не чита́л.

От Музе́я Револю́ции до Кремля́ недалеко́. Они́ иду́т к Кремлю́.

— Что э́то? до́ктор говори́т учи́телю.

— Э́то Мавзоле́й Ле́нина, отвеча́ет учи́тель. За Мавзоле́ем – Кремль.

Они́ иду́т в Мавзоле́й, пото́м иду́т в Кремль. Из Кремля́ они́ иду́т в Музе́й Ле́нина. Музе́й Ле́нина на Пло́щади Револю́ции. От Кремля́ до Пло́щади Револю́ции недалеко́.

На Пло́щади Револю́ции ста́нция. До́ктор с жено́й иду́т на ста́нцию. Учи́тель идёт домо́й. Его́ дом за Пло́щадью Револю́ции.

LESSON 12

1 NEW WORDS

оди́н	one
брат	brother
англича́нин	Englishman
пять	five
иностра́нец[1]	foreigner
у́лица	street
студе́нтка	(female) student
библиоте́ка	library

2 'ONE'

The number 'one' agrees with its noun: it goes into the same case and has the same gender as the noun.

> оди́н is masculine, nominative singular
> одно́ is neuter, nominative singular
> одна́ is feminine, nominative singular

Note that и occurs only in the nominative singular masculine:

оди́н ма́льчик	оди́н го́род	оди́н дом
	одно́ сло́во	одно́ ме́сто
одна́ ка́рта	одна́ де́вушка	одна́ кни́га

3 NOMINATIVE PLURAL

(a) Soft-ending feminine nouns and most soft-ending masculine nouns form the nominative plural in и:

nom. sing.	nom. pl.
неде́ля	неде́ли
пло́щадь	пло́щади
музе́й	музе́и

[1] Mobile vowel, therefore genitive иностра́нца.

Some soft-ending masculine nouns form the nominative plural in stressed я:

nom. sing.	*nom. pl.*
учи́тель	учителя́

Soft-ending neuter nouns form the nominative plural in я:

nom. sing.	*nom. pl.*
по́ле	поля́
влия́ние	влия́ния

(*b*) A few masculine and neuter nouns which have hard endings in the singular, form the nominative plural in ья and have soft endings in the plural:

nom. sing.	*nom. pl.*
брат	бра́тья

Э́то Ма́ша, а э́то её бра́тья

(*c*) Nouns ending in анин or янин, such as англича́нин 'Englishman', decline in the usual way in the singular:

nom.	англича́нин
gen.	англича́нина
dat.	англича́нину
acc.	англича́нина
instr.	англича́нином
prep.	англича́нине

but drop the last two letters (ин) in the plural and form the nominative plural in е:

англича́не 'Englishmen'

До́ктор и профе́ссор – англича́не

4 GENITIVE PLURAL 1 (ов)

Hard ending masculine nouns (except those in Paragraph 3 (*b*) and (*c*) above) add ов to form the genitive plural:

nom. sing.	*nom. pl.*	*gen. pl.*
план	пла́ны	пла́нов
магази́н	магази́ны	магази́нов

[студе́нт	студе́нты	студе́нтов
дом	дома́	домо́в
го́род	города́	городо́в
лес	леса́	лесо́в
профе́ссор	профессора́	профессоро́в][1]

У меня́ мно́го пла́нов[2]
На пла́не мно́го магази́нов и домо́в
На ка́рте мно́го городо́в и лесо́в
В университе́те мно́го студе́нтов и мно́го профессоро́в

5 CASE AFTER NUMERALS

Два/две, три, четы́ре take the genitive singular (Lesson 9) and so do higher numbers ending in два, три, четы́ре.

With higher numbers ending in оди́н the noun *remains in the singular.*

All other numbers, like мно́го 'many', take the genitive plural:

пять студе́нтов
пять домо́в
пять городо́в

6 ACCUSATIVE PLURAL 1

The accusative plural for masculine nouns is like the nominative if they denote inanimate objects, but like the genitive if they denote animate beings:

nominative-accusative

Студе́нты понима́ли вопро́сы
Они́ зна́ли отве́ты

genitive-accusative.

Студе́нты понима́ли профессоро́в
И профессора́ понима́ли студе́нтов

7 GENITIVE PLURAL 2 (ев)

Nouns ending in й replace the й by ев to form the genitive plural:

пять музе́ев

В го́роде пять музе́ев

[1] Material in square brackets is not read in the broadcast version of this lesson.

[2] много + gen. *sing.* = 'much' (Lesson 3)
много + gen. *pl.* = 'many'.

Nouns that have the nominative plural ending ья (Paragraph 3 (*b*) above) and do not have the accent on the ending also form the genitive plural in ев:

бра́тья – бра́тьев

У неё пять бра́тьев

Nouns that end in ц in the nominative singular and have the accent on the ending have genitive plural in ов:

оте́ц – отцо́в

but nouns that end in ц and do not have the accent on the ending form the genitive plural in ев:

иностра́нец – иностра́нцев

Э́то кни́ги для их отцо́в
В университе́те мно́го иностра́нцев

These genitives are of course accusatives too, if the noun denotes an animate being:

Профессора́ понима́ют иностра́нцев

8 SPELLING RULE

If a case-ending is unaccented, then where you would normally have о at the beginning of the case-ending you have е after the letters ц, ш, ж, ч and щ.

[Hence:

	nom. sing.	*gen. pl.*
	студе́нт	студе́нтов
	оте́ц	отцо́в
but	иностра́нец	иностра́нцев
Hence also:	*nom. sing.*	*instr. sing.*
	дом	до́мом
	оте́ц	отцо́м
but	иностра́нец	иностра́нцем
and	ка́рта	ка́ртой
	жена́	жено́й
but	у́лица	у́лицей
	Ма́ша	Ма́шей]

9 GENITIVE PLURAL 3 (ZERO)

Nouns ending in а or о remove the а or о to form the genitive plural, which thus has a ‘zero-ending’.

nom. sing.	*nom. pl.*	*gen. pl.*
ка́рта	ка́рты	карт
[доро́га	доро́ги	доро́г]
у́лица	у́лицы	у́лиц
[шко́ла	шко́лы	школ]
жена́	жёны	жён
село́	сёла	сёл
[ме́сто	места́	мест]

У меня́ мно́го карт
На них мно́го городо́в и сёл
На пла́не мно́го доро́г, у́лиц и школ
Э́то кни́ги для их жён
Не́ было мест для профессоро́в

Nouns of the англича́нин type also have a zero-ending in the genitive 'ural, formed by removing the ending of the nominative plural:

nom. pl.	*gen. and acc. pl.*
англича́не	англича́н

В университе́те мно́го англича́н
Иностра́нцы понима́ют англича́н?

In many words a mobile vowel is inserted in the genitive plural between what would otherwise be two final consonants:

nom. sing.	*gen. pl.*
де́вушка	де́вушек

If there is a soft sign between the two consonants in the nominative singular, *it is replaced by* a mobile vowel:

nom. sing.	*gen. pl.*
письмо́	пи́сем

Бы́ло там пять де́вушек
Они́ писа́ли мно́го пи́сем

The letter о also acts as a mobile vowel:

nom. sing.	*gen. pl.*
студе́нтка	студе́нток
окно́	о́кон

В библиоте́ке много студе́нток
В библиоте́ке мно́го о́кон

10 ACCUSATIVE PLURAL 2

In the plural, not only masculine nouns but nouns of any gender have an accusative like the genitive if they denote animate beings:

> Жёны понима́ют профессоро́в и профессора́ понима́ют жён
> Студе́нтки понима́ют студе́нтов и студе́нты понима́ют студе́нток

11 CONTINUOUS PASSAGE

Я о́чень люблю́ ка́рты и пла́ны. У меня́ мно́го карт. На них мно́го городо́в, сёл и лесо́в. У меня́ мно́го пла́нов. На них мно́го доро́г и у́лиц, мно́го магази́нов, домо́в, школ и музе́ев.

В селе́ одна́ шко́ла, нет университе́та и нет музе́я, а в го́роде мно́го школ, пять музе́ев и университе́т – оди́н университе́т.

Когда́ я был в университе́те, там бы́ло мно́го студе́нтов. Бы́ло мно́го де́вушек-студе́нток.[1] Бы́ли и англича́не и иностра́нцы в университе́те – мно́го англича́н и мно́го иностра́нцев.

Иностра́нцы не всегда́ понима́ли профессоро́в, а профессора́ не всегда́ понима́ли студе́нтов и студе́нток. (Жёны профессоро́в понима́ли их, а профессора́ не всегда́ понима́ли жён!)

Когда́ профессора́ спра́шивали: «Вы понима́ете?», два студе́нта – оди́н англича́нин и оди́н иностра́нец – всегда́ отвеча́ли: «Я не понима́ю». Одна́ студе́нтка и её бра́тья всегда́ понима́ли, всегда́ зна́ли отве́ты. Я не о́чень люби́л их.

Студе́нты чита́ли в библиоте́ке. В библиоте́ке мно́го о́кон, в ней мно́го книг. Когда́ там бы́ло мно́го студе́нтов, не́ было мест для профессоро́в. Студе́нты не всегда́ чита́ли там. Они́ писа́ли там. Оди́н студе́нт, иностра́нец, писа́л там мно́го пи́сем. И я там писа́л мно́го пи́сем.

LESSON 13

1 NEW WORDS

шесть	six
семь	seven

[1] This is in effect a tautology of a type which is not uncommon. Translate: 'There were many girl-students' or 'There were many girls who were students'.

краснéть	to turn red, to blush; to be red
ви́деть	to see

2 GENITIVE PLURAL 4 (ZERO)

Nouns ending in я have a zero-ending in the genitive plural. A soft sign indicates that the final consonant is soft and a mobile vowel is usually inserted between two consonants:

nom. sing.	*gen. pl.*
недéля	недéль
земля́	земéль

пять недéль шесть недéль семь недéль
Учителя́ бы́ли семь недéль в Москвé
На кáрте мнóго земéль

In nouns ending in ия the final vowel *sound* is removed, leaving a final consonant *sound* 'y', which is written й:

nom. sing.	*gen. pl.*
стáнция	стáнций

В Москвé мнóго стáнций

For most neuter nouns ending in е after a consonant, as for those that end in о, the genitive plural is formed by removing the last vowel. In those that end in ие, as in the feminine nouns ending in ия, the last vowel is replaced by й.

Hence:

nom. sing.	*gen. pl.*
влия́ние	влия́ний

Most masculine nouns that form the nominative plural in ья and are accented on the ending also have a zero-ending genitive plural with a mobile vowel, e.g.:

nom. sing.	*nom. pl.*	*gen. pl.*
сын	сыновья́	сыновéй [1]

(Note the extra syllable in all plural cases of this word.)

У негó пять сыновéй
У сыновéй бы́ло мнóго книг

[1] Alternatively, this can be thought of as the ending ей replacing the nom. pl. ending ья.

3 GENITIVE PLURAL 5 (ей)

Nouns ending in ь in the nominative singular have genitive plural ending in ей:

nom. sing.	*gen. pl.*
учи́тель	учителе́й
пло́щадь	площаде́й

С ни́ми бы́ло шесть учителе́й
В Москве́ мно́го площаде́й

Some neuter nouns have this ending:

nom. sing.	*gen. pl.*
по́ле	поле́й

У него́ мно́го поле́й

4 PAST TENSE OF идти́

The past tense of идти́ is formed from a different root:

masc.	я шёл[1]	ты шёл	он шёл

The letter ё here is a mobile vowel, which disappears in the other forms:

fem.	я шла	ты шла	она́ шла
neut.			оно́ шло
pl.	мы шли	вы шли	они́ шли

Учи́тель шёл на ста́нцию
Жена́ до́ктора шла в го́род
Учителя́ шли к Кремлю́

5 PAST TENSE MASCULINE WITHOUT л

Some verbs have no л in the past tense masculine. Among them are those with infinitives ending in ти and с or з before the present tense endings. The past tense masculine is formed by removing the present tense endings:
So the past tense masculine of нести́ (я несу́, ты несёшь, он несёт, etc.) is:

нёс (*N.B.* ё)

The л *does* occur in the other forms:

несла́ несло́ несли́

До́ктор нёс кни́ги
Его́ жена́ несла́ план Москвы́
Сыновья́ несли́ кни́ги отцо́в

[1] ё after ш, ж, ч, щ = о (no 'y' element).

6 TYPE 1 VERBS IN еть

There are many Type 1 verbs with е before the endings:

красне́ть

я красне́ю
ты красне́ешь
он красне́ет
мы красне́ем
вы красне́ете
они́ красне́ют

До́ктор красне́ет
Почему́ ты красне́ешь? – Я не красне́ю.

7 SECOND CONJUGATION VERBS IN еть

A few verbs with the infinitive ending in еть are *second* conjugation verbs. In most there is a consonant change in the first person singular.

ви́деть

я ви́жу (*N.B.* д changes to ж!)
ты ви́дишь
он ви́дит
мы ви́дим
вы ви́дите
они́ ви́дят

Что ви́дит до́ктор?
Что ты ви́дишь? – Что я ви́жу? Я ви́жу отца́.

[8 GENITIVE PLURAL – SUMMARY

Type of noun	*gen. pl. ending*
1 ending in consonant letter, e.g. план	ов
2 ending in й, e.g. музе́й; with nom. pl. in ья, unaccented, e.g. бра́тья; ending in ц with unaccented endings, e.g. иностра́нец	ев
3 ending in а or о, e.g. ка́рта, село́; англича́нин-type	zero
4 ending in я (incl. ия) or ие[1], e.g. неде́ля, ста́нция, влия́ние; with nom. pl. in ья, accented, e.g. сыновья́	zero soft (= ь or й)
5 ending in ь, e.g. учи́тель, пло́щадь; a few neuter nouns in е, e.g. по́ле	ей]

[1] A similar rule applies to neuter nouns ending in ье. Neuter nouns ending in е preceded by ц or щ simply remove the е to form the gen. pl. Neither type of neuter noun is used in this course.

9 CONTINUOUS PASSAGE

На ка́рте мно́го земе́ль – мно́го сёл, мно́го поле́й, мно́го городо́в.

Э́то го́род Москва́. В Москве́ мно́го музе́ев, садо́в, магази́нов, площаде́й и ста́нций.

До́ктор с жено́й бы́ли пять неде́ль в Москве́. С ним бы́ло[1] шесть учителе́й. Учителя́ бы́ли семь неде́ль в Москве́.

До́ктор с жено́й бы́ли в Музе́е Револю́ции. С ни́ми бы́ли и шесть учителе́й.

Они́ шли к Кремлю́ – пять учителе́й, до́ктор и его́ жена́ шли к Кремлю́. Оди́н учи́тель шёл на ста́нцию.

До́ктор нёс кни́ги – он всегда́ покупа́л мно́го книг. Жена́ до́ктора несла́ план Москвы́.

До́ктор говори́л жене́: — Э́то Кремль.

Но жена́ не слу́шает[2]. Она́ красне́ет.

Что она́ ви́дит?

— Что с тобо́й? спра́шивает до́ктор. — Что ты ви́дишь?

— Я ви́жу . . . Я ви́жу . . .

— Что ты ви́дишь? Почему́ ты красне́ешь?

— Я ви́жу отца́. И бра́тьев. Бра́тья с ним. Они́ иду́т к нам.

Оте́ц шёл к ним. С ним бы́ли его́ сыновья́. У сынове́й бы́ло мно́го книг. Они́ с отцо́м шли к до́ктору и его́ жене́, и несли́ кни́ги – кни́ги отца́.

LESSON 14

1 NEW WORDS

вести́ (веду́, ведёшь, etc.)	to be leading/taking, to lead
куда́	where, whither
мочь (могу́, мо́жешь . . . мо́гут)	to be able
хоте́ть (хочу́, хо́чешь, хо́чет, хоти́м, хоти́те, хотя́т)	to want
по (+ dat.)	along
лю́ди	people
де́ти	children

[1] When the subject consists of number plus noun, the past tense may be neuter or plural while the present tense may be third person sing. or third person pl.

[2] It is not uncommon to change from past tense to present tense to make the narrative more vivid.

2 THREE VERBS – PRESENT TENSE

Verbs with infinitive in ти and a д or т in the present tense change the д or т to с in the infinitive:

вести́

я веду́
ты ведёшь
он ведёт
мы ведём
вы ведёте
они́ веду́т

Куда́[1] он ведёт нас?
Куда́ вы ведёте нас?
Я веду́ вас в го́род.
Мы ведём их в го́род.
Они́ веду́т нас в го́род.

A few verbs have an infinitive ending in чь. They all have г or к in the first person singular and third person plural, but the г changes to ж and the к changes to ч in the other forms[2]:

мочь

я могу́
ты мо́жешь
он мо́жет
мы мо́жем
вы мо́жете
они́ мо́гут

Вы не мо́жете обе́дать со мной?
Да, я могу́ обе́дать с ва́ми.
Да, мы мо́жем обе́дать с ва́ми.
Ты мо́жешь обе́дать с ним?
Она́ мо́жет обе́дать с ним.
Они́ мо́гут обе́дать с на́ми.

In the singular, хоте́ть is first conjugation, Type 3, with a change of т to ч, but in the plural it is second conjugation:

я хочу́
ты хо́чешь
он хо́чет
мы хоти́м
вы хоти́те
они́ хотя́т

Я не хочу́ идти́ в го́род
Ты хо́чешь обе́дать со мной?
Она́ не хо́чет обе́дать с ним.

[1] 'Where' is куда́ when motion is indicated, but где when location is indicated.

[2] No verbs with the change of к to ч are used in this course.

Мы не хоти́м идти́ в го́род
Вы хоти́те обе́дать со мной?
Они́ не хотя́т обе́дать с ним.

3 CONTINUOUS PASSAGE 1

Оте́ц до́ктора ведёт Ива́на и Ма́шу в го́род. Ива́н говори́т Ма́ше:

— Я не понима́ю, куда́ он ведёт нас.

— И я не понима́ю. Куда́ вы ведёте нас? спра́шивает Ма́ша.

— Я веду́ вас в го́род, отвеча́ет оте́ц до́ктора.

— Я не хочу́ идти́ в го́род, говори́т Ива́н. — И Ма́ша не хо́чет. Мы не хоти́м идти́ в го́род.

— Вы не хоти́те?

— Не хоти́м. Никто́ не хо́чет.

— Вы не мо́жете обе́дать со мной?

— Обе́дать с ва́ми?

— Да, обе́дать со мной. И Ма́ша не мо́жет обе́дать со мной?

— Ты мо́жешь обе́дать с ним, ты хо́чешь? говори́т Ива́н Ма́ше.

— Я могу́ – и хочу́, отвеча́ет Ма́ша.

— Да, говори́т Ива́н. Ма́ша мо́жет и я могу́. Мы мо́жем обе́дать с ва́ми.

— До́ктор с жено́й не мо́гут обе́дать со мной, говори́т оте́ц до́ктора, а вы мо́жете. Они́ не хотя́т, а вы хоти́те.

— Да, я хочу́ и Ма́ша хо́чет, говори́т Ива́н. Мы хоти́м.

— Хорошо́! говори́т оте́ц до́ктора.

4 THREE VERBS – PAST TENSE

Verbs like вести́ (infinitive in ти, with д or т in the present tense) replace the last *three* letters of the infinitive by л to form the past tense masculine.

masc.	я вёл	ты вёл	он вёл
fem.	я вела́	ты вела́	она́ вела́
neut.			оно́ вело́
pl.	мы вели́	вы вели́	они́ вели́

Куда́ он вёл нас?
Он вёл нас по доро́ге за до́мом.
Доро́га вела́ в го́род
Они́ вели́ нас в го́род

Verbs of the мочь type have a past tense masculine without л. It is formed by removing the ending of the first person singular of the present tense: мог-у – мог.

masc.	я мог	ты мог	он мог
fem.	я могла́	ты могла́	она́ могла́
neut.			оно́ могло́
pl.	мы могли́	вы могли́	они́ могли́

Я мог обéдать с ним
Мáша моглá обéдать со мной
Они́ не могли́ обéдать с нáми

Хотéть forms its past tense in the normal way:

masc.	я хотéл	ты хотéл	он хотéл
fem.	я хотéла	ты хотéла	онá хотéла
neut.			онó хотéло
pl.	мы хотéли	вы хотéли	они́ хотéли

Я не хотéл идти́ в гóрод
Мáша не хотéла обéдать со мной
Мы с женóй хотéли обéдать с ни́ми

5 CONTINUOUS PASSAGE 2

Кудá он шёл? Я не понимáл, кудá он шёл, кудá он вёл нас.

Он вёл нас по дорóге за дóмом. Дорóга велá в гóрод. Он вёл нас в гóрод.

Но я нёс кни́ги – мнóго книг, и Мáша неслá мнóго книг. Я не хотéл идти́ в гóрод и Мáша не хотéла. Мы несли́ кни́ги и не хотéли идти́ в гóрод.

Но что э́то он говори́л?[1]

— Вы мóжете обéдать со мной? говори́л он.

Я мог обéдать с ним, и Мáша моглá. Да, мы могли́ обéдать с ним – и хотéли обéдать с ним.

6 PLURAL CASES

For hard-ending nouns, of any gender, the prepositional plural ends in ах:

[гóрод	в городáх
дом	в домáх
магази́н	в магази́нах
селó	в сёлах
мéсто	в местáх
у́лица	на у́лицах
шкóла	в шкóлах
дéвушка	о дéвушках]

В городáх мнóго домóв
А в сёлах мáло домóв
В шкóлах учителя́ говоря́т о дéвушках

The instrumental ending is ами:

[дóктор докторáми]

[1] 'But what was this he was saying?'

[оте́ц	отца́ми
сло́во	слова́ми
де́вушка	де́вушками
студе́нтка	студе́нтками]

Мы бы́ли в Москве́ с доктора́ми
Они́ говори́ли с де́вушками
Студе́нты говоря́т со студе́нтками

The dative ending is ам:

[до́ктор	доктора́м
оте́ц	отца́м
у́лица	у́лицам
доро́га	доро́гам]

Что они́ говоря́т доктора́м?
Мы даём отца́м кни́ги
Де́вушки иду́т по у́лицам и доро́гам к це́нтру го́рода

For soft-ending nouns the endings are:

prep.	ях
instr.	ями
dat.	ям

nom. sing.	*nom. pl.*	*prep. pl.*	*instr. pl.*	*dat. pl.*
[учи́тель	учителя́	учителя́х	учителя́ми	учителя́м
музе́й	музе́и	музе́ях	музе́ями	музе́ям
неде́ля	неде́ли	неде́лях	неде́лями	неде́лям
ста́нция	ста́нции	ста́нциях	ста́нциями	ста́нциям
пло́щадь	пло́щади	площадя́х	площадя́ми	площадя́м
по́ле	поля́	поля́х	поля́ми	поля́м
сын	сыновья́	сыновья́х	сыновья́ми	сыновья́м]

Ма́льчики говоря́т об учителя́х
Они́ бы́ли в музе́ях с учителя́ми
На площадя́х мно́го студе́нток
Профе́ссор идёт в университе́т с сыновья́ми
Он говори́т сыновья́м «До свида́ния»
Что они́ даю́т учителя́м?

7 SPECIMEN PLURAL DECLENSIONS

[*nom.*	дома́	отцы́	у́лицы	учителя́	пло́щади	сыновья́
gen.	домо́в	отцо́в	у́лиц	учителе́й	площаде́й	сынове́й
dat.	дома́м	отца́м	у́лицам	учителя́м	площадя́м	сыновья́м
acc.	дома́	отцо́в	у́лицы	учителе́й	пло́щади	сынове́й
instr.	дома́ми	отца́ми	у́лицами	учителя́ми	площадя́ми	сыновья́ми
prep.	дома́х	отца́х	у́лицах	учителя́х	площадя́х	сыновья́х]

8 'PEOPLE' AND 'CHILDREN'

Лю́ди and де́ти have no singular. Their instrumentals are людьми́ and детьми́ (*N.B.!*) The accent 'oscillates'.

[*nom.*	лю́ди	де́ти
gen.	люде́й	дете́й
dat.	лю́дям	де́тям
acc.	люде́й	дете́й
instr.	людьми́ (*N.B.*)	детьми́ (*N.B.*)
prep.	лю́дях	де́тях]

В города́х мно́го люде́й
В шко́лах мно́го дете́й
Де́вушки говоря́т с людьми́
Что они́ говоря́т лю́дям?
Учителя́ говоря́т с детьми́

9 CONTINUOUS PASSAGE 3

В сёлах ма́ло люде́й, а в города́х мно́го люде́й – в дома́х, на у́лицах, в магази́нах, на площадя́х мно́го люде́й.

Лю́ди иду́т по у́лицам и доро́гам к це́нтру го́рода. Они́ иду́т в магази́ны. В магази́нах – де́вушки. Лю́ди говоря́т с де́вушками, спра́шивают их: «Ско́лько э́то сто́ит? А ско́лько э́то сто́ит?»

Де́вушки отвеча́ют лю́дям: «Два фу́нта, пять ши́ллингов», «Четы́ре фу́нта», «Пять фу́нтов», «Шесть фу́нтов».

Де́ти иду́т в шко́лы. Они́ говоря́т об учителя́х. В шко́лах учителя́ говоря́т с детьми́.

Студе́нты и студе́нтки иду́т в университе́т. Студе́нты говоря́т со студе́нтками.

И профе́ссор идёт в университе́т. Он идёт с сыновья́ми. Бра́тья несу́т его́ кни́ги. В университе́те он говори́т сыновья́м: «До свида́ния!» Они́ даю́т ему́ кни́ги и говоря́т: «До свида́ния!».

LESSON 15

1 NEW WORDS

ста́рый	old
после́дний	last

мой	my	
наш	our	
ничто́ (gen. ничего́)	nothing	

2 ADJECTIVES – HARD ENDING

	masc.		*neut.*
nom.	ста́рый		ста́рое
gen.		ста́рого	
dat.		ста́рому	
acc.	like nom. or gen.	ста́рое	
instr.		ста́рым	
prep.		ста́ром	

The adjective 'agrees' with its noun: it goes into the same case and has the same gender or is plural if the noun is plural.

Он ста́рый профе́ссор
Э́то ста́рый дом ста́рого профе́ссора
Э́то ста́рое село́
Он идёт к ста́рому до́му
Что до́ктор говори́т ста́рому профе́ссору?
Я люблю́ его́ ста́рый дом
Я ви́жу ста́рого профе́ссора
До́ктор говори́т со ста́рым профе́ссором
У него́ дом в ста́ром селе́
Профе́ссор в ста́ром до́ме

3 ADJECTIVES – SOFT ENDING

	masc.		*neut.*
nom.	после́дний		после́днее
gen.		после́днего	
dat.		после́днему	
acc.	like nom. or gen.	после́днее	
instr.		после́дним	
prep.		после́днем	

Э́то после́дний дом в селе́
Э́то после́днее сло́во в кни́ге
От после́днего до́ма до до́ма профе́ссора недалеко́
Профе́ссор идёт к после́днему до́му
Вы ви́дите после́дний дом?
За после́дним до́мом нет ле́са
В после́днем до́ме мно́го люде́й

4 'MY'

	masc.		*neut.*
nom.	мой		моё
gen.		моего́	
dat.		моему́	
acc. like nom or gen.		моё	
instr.		мои́м	
prep.		моём	

Он мой ста́рый профе́ссор
Э́то моё после́днее сло́во
Моё ме́сто – до́ма
У моего́ ста́рого профе́ссора дом с са́дом
Что до́ктор говори́т моему́ ста́рому профе́ссору?
Я люблю́ мой ста́рый дом
Я люблю́ моего́ сы́на
С мои́м ста́рым профе́ссором идёт его́ сын
Они́ говори́ли о моём отце́ и моём ста́ром дру́ге

5 'OUR'

	masc.		*neut.*
nom.	наш		на́ше
gen.		на́шего	
dat.		на́шему	
acc. like nom. or gen.		на́ше	
instr.		на́шим	
prep.		на́шем	

Он наш до́ктор и наш друг
Э́то на́ше ста́рое село́
После́дний дом – дом на́шего до́ктора
Профе́ссор идёт к на́шему до́ктору
Я ви́жу на у́лице на́шего до́ктора
Куда́ вы ведёте на́шего учи́теля?
Я хочу́ говори́ть с на́шим до́ктором
В на́шем ста́ром селе́ – дом профе́ссора

6 'WHAT'

nom.	что	*N.B.* Only in nom. and acc. does ч have the value of ш
gen.	чего́	
dat.	чему́	
acc.	что	
instr.	чем	(*N.B.! c.f.* кто – instr. кем)
prep.	чём	

Для чего́ э́то?
Из чего́ э́то?
К чему́ э́то ведёт?
Чем вы пи́шите?
Чем вы э́то де́лаете?
О чём вы хоти́те говори́ть?
О чём мы мо́жем говори́ть?
Чего́ вы хоти́те?[1]
Чего́ я хочу́?
Я ничего́ не хочу́.

7 CONTINUOUS PASSAGE

Э́то на́ше ста́рое село́. В на́шем ста́ром селе́ – дом профе́ссора. Э́то ста́рый дом: в ста́ром до́ме, в ста́ром селе́ – мой ста́рый профе́ссор. У моего́ ста́рого профе́ссора ста́рый дом со ста́рым са́дом.

Его́ дом не после́дний дом в селе́. У после́днего до́ма нет са́да, и за после́дним до́мом нет ле́са. От после́днего до́ма до ста́рого до́ма ста́рого профе́ссора недалеко́. После́дний дом – дом на́шего до́ктора. В после́днем до́ме – наш до́ктор, с жено́й и со ста́рым отцо́м.

Я ви́жу ста́рого профе́ссора. Он идёт к после́днему до́му. Я ви́жу на у́лице и на́шего до́ктора. Профе́ссор идёт к на́шему до́ктору. С мои́м ста́рым профе́ссором идёт и его́ сын.

Профе́ссор говори́т с на́шим до́ктором. Что говори́т до́ктор моему́ ста́рому профе́ссору? О чём они́ говоря́т? Они́ говоря́т о ста́ром отце́ на́шего до́ктора? Они́ говоря́т о моём отце́? (Он их друг.)

Никто́ не зна́ет, о чём говори́т мой ста́рый профе́ссор с на́шим до́ктором. Никто́ не зна́ет, что́ говори́т до́ктор моему́ ста́рому профе́ссору.

LESSON 16

1 NEW WORD

э́тот	this

[1] хоте́ть ‘to want’ takes the genitive case.

2 HARD-ENDING ADJECTIVES – FEMININE

nom.	ста́рая
gen.	ста́рой
dat.	ста́рой
acc.	ста́рую
instr.	ста́рой (or ста́рою)
prep.	ста́рой

В це́нтре го́рода ста́рая пло́щадь
Э́то недалеко́ от ста́рой пло́щади
Лю́ди шли к ста́рой пло́щади
Она́ чита́ет ста́рую кни́гу
Я иду́ в ко́мнату со ста́рой кни́гой в руке́
В ста́рой кни́ге мно́го карт

3 SOFT-ENDING ADJECTIVES – FEMININE

nom.	после́дняя
gen.	после́дней
dat.	после́дней
acc.	после́днюю
instr.	после́дней (or после́днею)
prep.	после́дней

Э́то после́дняя ка́рта в кни́ге
До после́дней у́лицы на́шего го́рода недалеко́
Они́ иду́т по после́дней у́лице
Я люблю́ после́днюю ка́рту в кни́ге
За после́дней у́лицей – лес
Наш дом на после́дней у́лице

4 'MY' – FEMININE

nom.	моя́
gen.	мое́й
dat.	мое́й
acc.	мою́
instr.	мое́й (or мое́ю)
prep.	мое́й

Э́то моя́ кни́га
Э́то кни́га мое́й жены́
Я даю́ мое́й жене́ ста́рую кни́гу
Наш до́ктор понима́ет мою́ жену́
До́ктор говори́т с мое́й жено́й
В мое́й ста́рой кни́ге мно́го карт

5 ‘OUR’ – FEMININE

nom.	на́ша
gen.	на́шей
dat.	на́шей
acc.	на́шу
instr.	на́шей (or на́шею)
prep.	на́шей

Note that ш is a hard consonant, therefore these endings are hard. But remember that after ш, etc., the letter o of an ending is replaced by e if the ending is unstressed (Lesson 12).

Э́то на́ша ко́мната. Кто идёт из на́шей ко́мнаты?
Кто идёт к на́шей ко́мнате? Я иду́ в на́шу ко́мнату.
За на́шей ко́мнатой ко́мната сынове́й
В на́шей ко́мнате мно́го книг

6 ‘THIS’

Э́то, which has been used frequently in the sense of ‘this’, ‘that’ or ‘it’, is, of course, a nominative singular neuter. It has other cases and other genders and is often used with nouns:

	masc.	*neut.*
nom.	э́тот (*N.B.!*)	э́то
gen.	э́того	
dat.	э́тому	
acc. like nom. or gen.	э́то	
instr.	э́тим (*N.B.* soft!)	
prep.	э́том	

Э́тот дом – наш дом
В це́нтре э́того го́рода – ста́рая пло́щадь
Он даёт журна́л э́тому иностра́нцу
Я хорошо́ понима́ю э́того иностра́нца
С э́тим дру́гом я был две неде́ли в Москве́
Они́ говоря́т об э́том го́роде

	fem.
nom.	э́та
gen.	э́той
dat.	э́той
acc.	э́ту
instr.	э́той (or э́тою)
prep.	э́той

Э́та кни́га – моя́[1]. Нет, э́то кни́га э́той студе́нтки.
Они́ иду́т по э́той у́лице

[1] The words for ‘my’, ‘our’, also mean ‘mine’, ‘ours’.

Я о́чень люблю́ э́ту ка́рту
На́ша ко́мната за э́той ко́мнатой
В э́той кни́ге мно́го карт

7 CONTINUOUS PASSAGE

В це́нтре на́шего го́рода – ста́рая пло́щадь. От ста́рой пло́щади до после́дней у́лицы на́шего го́рода недалеко́.

Вы идёте по э́той после́дней у́лице до после́днего до́ма. Э́тот дом – наш дом. Наш дом на после́дней у́лице. За э́той после́дней у́лицей – лес.

У нас с бра́том[1] одна́ ко́мната. Э́то на́ша ко́мната. В на́шей ко́мнате мно́го книг.

Я иду́ в на́шу ко́мнату со ста́рой кни́гой в руке́. В э́той ста́рой кни́ге мно́го карт. Э́то моя́ кни́га.

В мое́й ста́рой кни́ге одна́ о́чень ста́рая ка́рта. Э́то после́дняя ка́рта в кни́ге. Я о́чень люблю́ э́ту после́днюю ка́рту. Э́то ка́рта ста́рого го́рода. В це́нтре э́того ста́рого го́рода – ста́рая пло́щадь. В кни́ге я чита́ю об э́том го́роде, об э́той пло́щади.

Э́тот го́род – наш го́род. Э́та пло́щадь – на́ша пло́щадь.

LESSON 17

1 NEW WORDS

молодо́й	young
ма́ленький	small, little
большо́й	big, large

2 HARD-ENDING ADJECTIVES – PLURAL

nom.	ста́рые
gen.	ста́рых
dat.	ста́рым
acc.	like nom. or gen.
instr.	ста́рыми
prep.	ста́рых

Э́то ста́рые дома́ ста́рых профессоро́в
Лю́ди иду́т по ста́рым у́лицам
Я ви́дел ста́рых профессоро́в

[1] 'My brother and I have'.

Он говори́л со ста́рыми профессора́ми
Студе́нты говори́ли о ста́рых профессора́х

3 END-STRESSED ADJECTIVES

Some hard-ending adjectives have the stress or accent on the ending. The only difference between them and 'ordinary' hard-ending adjectives is that the nominative singular masculine ends in ой – so it looks like some of the feminine cases:

	masc.	*neut.*	*fem.*	*pl.*
nom.	молодо́й	молодо́е	молода́я	молоды́е
gen.	молодо́го		молодо́й	молоды́х
dat.	молодо́му		молодо́й	молоды́м
acc.	like nom. or gen.	молодо́е	молоду́ю	like nom. or gen.
instr.	молоды́м		молодо́й (or . . . о́ю)	молоды́ми
prep.	молодо́м		молодо́й	молоды́х

Он молодо́й до́ктор
Она́ молода́я де́вушка
Я ви́дел молодо́го до́ктора
Э́то от молодо́й жены́ на́шего молодо́го до́ктора
Я говори́л с его́ молодо́й жено́й
В магази́нах – молоды́е де́вушки
Лю́ди говоря́т с молоды́ми де́вушками
Они́ говоря́т о молоды́х доктора́х

4 SOFT-ENDING ADJECTIVES – PLURAL

nom.	после́дние
gen.	после́дних
dat.	после́дним
acc.	like nom. or gen.
instr.	после́дними
prep.	после́дних

Э́то после́дние дома́ в селе́
От после́дних домо́в до до́ма отца́ недалеко́
Я шёл к после́дним дома́м
За после́дними дома́ми лес
В после́дних дома́х мно́го люде́й

5 PLURAL OF 'MY' AND 'OUR'

nom.	мои́ (*N.B.!*)	на́ши (*N.B.!*)
gen.	мои́х	на́ших
dat.	мои́м	на́шим
acc.	like nom. or gen.	like nom. or gen.
instr.	мои́ми	на́шими
prep.	мои́х	на́ших

Э́то мои́ кни́ги
Э́та кни́га от мои́х сынове́й
Что она́ говори́т мои́м сыновья́м?
Вы ви́дели мои́х сынове́й?
Она́ говори́т с мои́ми сыновья́ми
В мои́х ста́рых кни́гах о́чень мно́го карт

Э́то на́ши профессора́
Э́то дома́ на́ших профессоро́в
Что до́ктор говори́л на́шим ста́рым профессора́м?
Я ви́дел на́ших ста́рых профессоро́в
Он говори́л с на́шими профессора́ми
Вы говори́те о на́ших профессора́х?

6 PLURAL OF э́тот, ETC.

In the singular 'this', э́тот, э́то, э́та, has hard endings, except in the instrumental singular masculine and neuter (Lesson 16). In the plural, it has *soft* endings:

nom.	э́ти (*N.B.!*)
gen.	э́тих
dat.	э́тим
acc.	like nom. or gen.
instr.	э́тими
prep.	э́тих

Э́ти кни́ги – мои́
От э́тих домо́в до до́ма моего́ отца́ недалеко́
Лю́ди иду́т по э́тим ста́рым у́лицам
Вы ви́дите э́тих молоды́х докторо́в ?
За э́тими дома́ми лес
В э́тих дома́х мно́го люде́й

7 'MIXED' DECLENSIONS

After к, г, and х you write и (never ы!) and pronounce и.
After ш and ж you write и (never ы!) but pronounce ы.

As a result certain endings of certain adjectives begin with и instead of ы. The declensions of such adjectives are called 'mixed' declensions.

	masc.	*neut.*	*fem.*	*pl.*
nom.	ма́ленький	ма́ленькое	ма́ленькая	ма́ленькие
gen.	ма́ленького		ма́ленькой	ма́леньких
dat.	ма́ленькому		ма́ленькой	ма́леньким
acc.	like nom. or gen.	ма́ленькое	ма́ленькую	like nom. or gen.
instr.	ма́леньким		ма́ленькой (or . . . ою)	ма́ленькими
prep.	ма́леньком		ма́ленькой	ма́леньких

Он ма́ленький ма́льчик. Э́то оте́ц э́того ма́ленького ма́льчика.
Кто говори́т с ма́леньким ма́льчиком?
В ма́леньком селе́ ма́ло люде́й
Ма́ленькие ма́льчики иду́т в шко́лу
Ма́льчики веду́т ма́леньких дете́й в шко́лу
Что они́ говоря́т ма́леньким де́тям?
Они́ говоря́т с ма́ленькими ма́льчиками
В ма́леньких сёлах ма́ло люде́й

	masc.	*neut.*	*fem.*	*pl.*
nom.	большо́й	большо́е	больша́я	больши́е
gen.	большо́го		большо́й	больши́х
dat.	большо́му		большо́й	больши́м
acc.	like nom. or gen.	большо́е	большу́ю	like nom. or gen.
instr.	больши́м		большо́й (or . . . о́ю)	больши́ми
prep.	большо́м		большо́й	больши́х

Э́то большо́й го́род
В э́той большо́й кни́ге мно́го карт
За больши́м до́мом лес
В большо́м го́роде мно́го люде́й
Больши́е магази́ны в це́нтре го́рода
Из больши́х магази́нов иду́т де́вушки
Они́ иду́т к больши́м магази́нам
В больши́х города́х мно́го люде́й

8 CONTINUOUS PASSAGE

Вчера́ я был в ма́леньком селе́. Там мно́го ста́рых домо́в. Э́ти ста́рые дома́ – дома́ на́ших профессоро́в. Э́то после́дние дома́ в селе́. За э́тими после́дними дома́ми – большо́й лес. От э́тих после́дних домо́в до до́ма отца́ недалеко́.

Когда́ я шёл от до́ма отца́ к э́тим после́дним дома́м, я ви́дел на́шего до́ктора. С кем он говори́л? Он говори́л с на́шими ста́рыми профессора́ми. В ма́леньком селе́ ма́ло люде́й, но на́ши профессора́ бы́ли там!

Да, в ма́леньких сёлах ма́ло люде́й, а в больши́х города́х мно́го людéй, – в домáх, в больши́х и мáленьких магази́нах, на площадя́х, – мнóго людéй.

В цéнтре гóрода – стáрые ýлицы.

Лю́ди идýт по э́тим стáрым ýлицам к цéнтру гóрода. Они́ идýт в больши́е магази́ны. Э́ти больши́е магази́ны – в цéнтре гóрода.

В э́тих магази́нах – молоды́е дéвушки. Лю́ди говоря́т с э́тими молоды́ми дéвушками. Они́ их спрáшивают: «Скóлько стóят э́ти кни́ги?» «А скóлько э́то стóит?»

В шкóлу идýт мáленькие мáльчики. Э́ти мáльчики ведýт в шкóлу мáленьких детéй. Они́ говоря́т с мáленькими детьми́ о шкóле.

Студéнты идýт в университéт. И профессорá – стáрые и молоды́е – идýт тудá. Студéнты говоря́т о стáрых профессорáх, а студéнтки говоря́т о молоды́х профессорáх!

LESSON 18

1 NEW WORDS

ресторáн	restaurant
никогдá	never

2 ASPECTS 1

The past tense can be modified according to the way in which the speaker regards the action or wishes to present it to the listener. He may regard the action as a complete whole or he may not do so. In the first case he uses what is called the 'perfective aspect' of the past tense, in the second case he uses what is called the 'imperfective aspect' of the past tense. These can be called, more briefly, 'past perfective' and 'past imperfective'.[1]

All the verbs we have used so far have been in the imperfective aspect. Most verbs derive the perfective aspect from the imperfective aspect by adding to the latter a prefix – an element attached at the beginning of a word. Thus писáл is past imperfective (masc.), while написáл is past perfective (masc.).

The perfective aspect can express:

accomplishment of an act;
a single complete act;
the whole of an action;
an act and the state resulting from that act.

[1] 'Perfective' and 'imperfective' are *not* the same as 'perfect' and 'imperfect' and must not be confused with them.

The imperfective aspect can express:

an action going on, i.e. the process;
a series of acts, i.e. repeated or habitual acts;
the 'business' or nature of the action as such.

The English verb does not operate in the same way: it concentrates primarily on distinctions of tense. Hence one Russian tense may represent several English tenses, and there is some overlap in the translation-equivalents:

Он писáл (impfv.) may represent:

'he wrote'
'he was writing'
'he has written'
'he had written'
'he has been writing'
'he had been writing'
'he used to write'

Он написáл (pfv.) may represent:

'he wrote'
'he has written'
'he had written'

The infinitive, the future tense (Lesson 20) and other parts of the verb also have two aspects. The present tense can only be imperfective, however, since it means either that the action is going on now (он пи́шет 'he is writing') or that it is a repeated or habitual action (он пи́шет 'he writes').

3 ILLUSTRATIONS

The prefixes which form the perfective aspect vary from verb to verb. Each set of illustrations below, which are translated and explained in the broadcast, is headed by the appropriate infinitive in its imperfective and perfective aspects.

писáть, написáть 'to write'[1]

Отéц писáл письмó
Отéц всегдá писáл пи́сьма пóсле зáвтрака

Он написáл письмó пóсле зáвтрака

проси́ть, попроси́ть, 'to ask', 'to request'

Он проси́л меня́

Когдá он написáл письмó, он попроси́л меня́ читáть

[1] The italic versions of в, г, д, т are respectively *в, г, д, т*. The other italic letters are self-evident. The broadcast runs through the illustrations vertically, i.e. takes whichever is next in vertical sequence whether it is on the left or on the right. Use the spaces for notes during the broadcast.

Он всегда́ проси́л меня́

за́втракать, *поза́втракать* ‘to have breakfast’

Мы с жено́й за́втракали

Мы поза́втракали, пото́м оте́ц написа́л письмо́

Я за́втракал, моя́ жена́ чита́ла, а оте́ц писа́л письмо́

Вы поза́втракали?

Вы за́втракали?

обе́дать, *пообе́дать* ‘to have dinner’

Вы обе́дали?
Я обе́дал в рестора́не

Я пообе́дал . . . (continued below)

плати́ть, *заплати́ть* ‘to pay’

. . . и заплати́л де́вушке

Кто плати́л? Я плати́л

красне́ть, *покрасне́ть* ‘to blush’, ‘to turn red’

Я покрасне́л
Оте́ц ви́дел, что я покрасне́л

Оте́ц ви́дел, что я красне́л

ви́деть, *уви́деть* ‘to see’

Я уви́дел на́шего до́ктора
И он уви́дел меня́
Я уви́дел его́ . . . (continued across and below)

идти́, *пойти́* (*N.B.* spelling!) ‘to go’
. . . когда́ я шёл в го́род

Я пошёл в го́род

целова́ть, *поцелова́ть* ‘to kiss’

Я поцелова́л жену́ и пошёл в го́род
Когда́ я поза́втракал, я поцелова́л жену́

Я всегда́ целова́л жену́ по́сле за́втрака

де́лать, *сде́лать* ‘to do’

Я мно́го сде́лал

Я мно́го де́лал
Я мно́го де́лал . . . (continued across and below)

. . . но ничего́ не сде́лал

Я ничего́ не де́лал

говори́ть, *поговори́ть* ‘to speak’, ‘to talk’

Я говори́л с ним

Я поговори́л с до́ктором

Мы с ним поговори́ли о моём отце́

говори́ть, сказа́ть (*N.B.!*) 'to say', 'to tell'

Я говори́л ему́: — Ничего́!

— Ничего́! сказа́л он.

— Я чита́л тебе́ вчера́, сказа́л я.

чита́ть, прочита́ть 'to read'

Он попроси́л меня́ чита́ть

Он попроси́л меня́ прочита́ть ему́ журна́л

4 CONTINUOUS PASSAGE

Мы с жено́й за́втракали. Мой ста́рый оте́ц был с на́ми, но не за́втракал с на́ми. Он писа́л письмо́.

Когда́ он написа́л письмо́, он попроси́л меня́ чита́ть. Он попроси́л меня́ прочита́ть ему́ журна́л. Он всегда́ проси́л меня́ чита́ть ему́ по́сле за́втрака.

— Не могу́, сказа́л я. — Я иду́ в го́род.

— Ты мне никогда́ не[1] чита́ешь, сказа́л он.

Я покрасне́л.

— Я чита́л тебе́ вчера́, сказа́л я.

Оте́ц ви́дел, что я покрасне́л. — Ничего́! сказа́л он.

Когда́ я поза́втракал, я поцелова́л жену́ (по́сле за́втрака я всегда́ целова́л жену́). Пото́м я пошёл в го́род.

Когда́ я шёл в го́род, я уви́дел на́шего молодо́го до́ктора. И он уви́дел меня́. Мы с ним поговори́ли, пото́м он пошёл в магази́н, а я пошёл в университе́т. Там я мно́го де́лал, но ничего́ не сде́лал.

Я обе́дал в рестора́не. Я пообе́дал, заплати́л де́вушке и пошёл домо́й.

LESSON 19

1 NEW WORDS

всё	still, all the time	опя́ть	again
тепе́рь	now	тогда́	then, at that time

[1] With negative adverbs the verb must be negated as well.

носи́ть	to carry (see Para. 4)	лета́ть	to fly (see Para. 4)
води́ть	to lead ,,	Ло́ндон	London
ходи́ть	to go ,,	по́езд	train
е́хать	to go by vehicle ,,	маши́на	machine; car
е́здить	to go by vehicle (see Para. 4)	Сове́тский Сою́з	Soviet Union
лете́ть	to fly (see Para. 4)		

2 ASPECTS 2

Sometimes the addition of a prefix to a verb not only makes it perfective but also changes its meaning. An imperfective aspect can then be derived from such a perfective by retaining the prefix while adding a suffix, i.e. an element that follows the root. The suffix may produce a change or changes in the root of the verb. Thus:

impfv. проси́ть 'to ask', 'to request'
has produced a different verb –
pfv. спроси́ть 'to ask', 'to enquire'
of which the
impfv. is спра́шивать 'to ask', 'to enquire'

This suffix ива (or ыва) is still frequently used.

Other methods of deriving imperfectives from perfectives are no longer productive, though the verbs produced by these methods are still used:

pfv.		*impfv.*	
отве́тить	⟶	отвеча́ть	'to answer'
поня́ть	⟶	понима́ть	'to understand'
дать	⟶	дава́ть	'to give'

The perfective of покупа́ть 'to buy' is купи́ть (*N.B.* no prefix!)

спра́шивать – спроси́ть

pfv. До́ктор спроси́л де́вушку «Ско́лько сто́ят э́ти кни́ги?»
impfv. Что вы спра́шивали?

отвеча́ть – отве́тить

pfv. Де́вушка не отве́тила
impfv. Де́вушка всё не отвеча́ла

понима́ть – поня́ть

impfv. Тогда́ я не понима́ла
pfv. — Вы по́няли тепе́рь? — Тепе́рь я поняла́.
(past tense of поня́ть: он по́нял, они́ по́няли – она́ поняла́)

дава́ть – дать

pfv. Де́вушка дала́ ему́ оди́н ши́ллинг

	(past tense of дать: он дал, оно́ да́ло or дало́, они́ да́ли – она́ дала́)
impfv.	Когда́ она́ дава́ла ему́ э́тот ши́ллинг, она́ уже́ опя́ть говори́ла с дру́гом
	покупа́ть – купи́ть
impfv.	Я покупа́л тебе́ кни́ги
pfv.	И ты купи́л?
pfv. infin.	Он хоте́л купи́ть отцу́ кни́ги

3 CONTINUOUS PASSAGE 1

До́ктор пошёл в го́род. Он хоте́л купи́ть отцу́ кни́ги. Он пошёл в магази́н и спроси́л де́вушку: — Ско́лько сто́ят э́ти ста́рые кни́ги с ка́ртами?

Де́вушка не отве́тила. Она́ говори́ла с дру́гом. До́ктор опя́ть спроси́л: — Ско́лько сто́ят э́ти кни́ги? Де́вушка всё не отвеча́ла.

Пото́м до́ктор сказа́л: — Де́вушка, я с ва́ми говорю́!

— А, вы со мной говори́те! сказа́ла она́. — Я не зна́ла. Что вы спра́шивали?

— Я спра́шивал, ско́лько сто́ят э́ти кни́ги? Вы по́няли тепе́рь?

— Тепе́рь я поняла́, отве́тила она́, а тогда́ я не понима́ла. Они́ сто́ят два фу́нта и три ши́ллинга.

До́ктор дал ей два фу́нта и четы́ре ши́ллинга. Де́вушка дала́ ему́ оди́н ши́ллинг. Когда́ она́ дава́ла ему́ э́тот ши́ллинг, она́ уже́ опя́ть говори́ла с дру́гом.

Когда́ до́ктор шёл домо́й, он уви́дел отца́.

— Что ты де́лал в го́роде? спроси́л оте́ц.

— Я покупа́л тебе́ кни́ги, отве́тил до́ктор.

— И купи́л?

— Купи́л.[1]

— Э́ти кни́ги? Я уже́ чита́л их.

4 ‘U’ AND ‘NON-U’ VERBS

About a dozen verbs denoting motion of one kind or another have two imperfectives. One imperfective denotes motion in a single direction (‘unidirectional’ – ‘U’ verbs), the other does not denote this (‘non-unidirectional’ – ‘non-U’ verbs),[2] and therefore denotes motion in various directions, back and forth or motion in general.

[1] i.e. (Я) купи́л ‘(I) have bought’ or ‘(I) did buy’. It is common to answer simple questions by repeating the verb rather than saying да. A negative answer would be, e.g. Не купи́л (instead of нет). Compare English ‘I have’, ‘I haven’t’, ‘I did’, etc., where the auxiliary alone serves as an ‘answer-verb’.

[2] Some grammars have ‘concrete’ and ‘abstract’, others have ‘determinate’ and ‘indeterminate’ for our ‘U’ and ‘non-U’ verbs.

The members of each pair are in some cases very similar to each other, in other cases not so similar and in one case consist of two quite different verbs.

'U' verbs		*'non-U' verbs*
нести́	'to carry'	носи́ть pres. tense: ношу́, но́сишь, но́сит, но́сим, но́сите, но́сят
вести́	'to lead'	води́ть pres. tense: вожу́, во́дишь, во́дит, во́дим, во́дите, во́дят *N.B.* Consonant change of д to ж in 1st pers. sing.
идти́	'to go, to come' (on foot)	ходи́ть pres. tense: хожу́, хо́дишь, хо́дит, хо́дим, хо́дите, хо́дят *N.B.* Consonant change of д to ж in 1st pers. sing.
е́хать	'to go, to come' (in a vehicle or on horseback)	е́здить pres. tense: е́зжу, е́здишь, е́здит, е́здим, е́здите, е́здят *N.B.* Consonant change of д to ж in 1st pers. sing.
лете́ть 2nd conjugation (*N.B.!*) pres. tense: лечу́, лети́шь, лети́т, лети́м, лети́те, летя́т *N.B.* Consonant change of т to ч in 1st pers. sing.	'to fly'	лета́ть

'U'	*'non-U'*
Они́ несли́ кни́ги в Музе́й Револю́ции	Сыновья́ носи́ли кни́ги отца́ по го́роду[1]
Оте́ц вёл сынове́й в Музе́й	Он води́л их по го́роду
До́ктор с жено́й шли в Музе́й Револю́ции	Лю́ди ходи́ли по у́лицам
Они́ е́хали в Ло́ндон по́ездом (or на по́езде)	Лю́ди е́здили по го́роду на маши́нах
Они́ лете́ли в Москву́	Они́ о́чень лю́бят лета́ть

[1] По + dat. in meaning of 'about', 'around'.

If a return journey is indicated or implied you *must* use the 'non-U' verbs:

Вчера́ я ходи́л в го́род
До́ктор с жено́й е́здили в Сове́тский Сою́з

5 CONTINUOUS PASSAGE 2

Когда́ до́ктор с жено́й е́здили в Сове́тский Сою́з, они́ е́хали в Ло́ндон по́ездом, пото́м лете́ли в Москву́. Они́ о́чень лю́бят лета́ть.

У до́ктора с жено́й[1] ста́рый друг в Москве́. Он води́л их по го́роду. Когда́ они́ ходи́ли по го́роду, у них в рука́х бы́ли[2] ка́рты и пла́ны го́рода.

В це́нтре Москвы́ бы́ло мно́го люде́й. Они́ ходи́ли по у́лицам и́ли е́здили на маши́нах.

До́ктор с жено́й шли в Музе́й Револю́ции, когда́ они́ уви́дели ста́рого отца́ до́ктора. Оте́ц купи́л[3] мно́го книг. Сыновья́ носи́ли[4] э́ти кни́ги по го́роду. Тепе́рь оте́ц вёл сынове́й, и они́ несли́ его́ кни́ги — и его́ ка́рты и пла́ны — в Музе́й Револю́ции.

LESSON 20

1 FUTURE OF быть

я бу́ду 'I shall be'
ты бу́дешь
он бу́дет
мы бу́дем
вы бу́дете
они́ бу́дут

Кто бу́дет там?
Я бу́ду там и Ма́ша бу́дет там.
Мы бу́дем там, а вы не бу́дете там.
До́ктор с жено́й бу́дут там.

2 FUTURE IMPERFECTIVE

The future imperfective consists of the appropriate form of the future of быть plus the imperfective infinitive:

1 'The doctor and his wife have'.
2 'they had in their hands'.
3 'had bought'.
4 'carried' or 'had been carrying'.

я бу́ду де́лать
ты бу́дешь де́лать
он бу́дет де́лать
мы бу́дем де́лать
вы бу́дете де́лать
они́ бу́дут де́лать

Like the past imperfective, the future imperfective means that the action is not thought of as a completed act. It therefore expresses the duration of the action or its repetition in the future, or it concentrates attention on the action as such, the 'business' of the action.

Что вы бу́дете де́лать? По́сле обе́да я бу́ду чита́ть.
Что ты бу́дешь де́лать? Я бу́ду писа́ть письмо́.
— Ты бу́дешь обе́дать с на́ми? — Нет, не бу́ду.
Ма́ша бу́дет обе́дать с на́ми.

3 FUTURE PERFECTIVE

The future perfective consists of what looks like the present tense of a perfective verb. In other words, take a perfective verb, give it endings like those of the present tense and you have the future perfective of that verb.

прочита́ть		написа́ть	
прочита́ю	'I shall read'	напишу́	'I shall write'
прочита́ешь		напи́шешь	
прочита́ет		напи́шет	
прочита́ем		напи́шем	
прочита́ете		напи́шите	
прочита́ют		напи́шут	

пойти́		сказа́ть	
пойду́	'I shall go'	скажу́	'I shall say' (*N.B.* Consonant change)
пойдёшь		ска́жешь	
пойдёт		ска́жет	
пойдём		ска́жем	
пойдёте		ска́жете	
пойду́т		ска́жут	

Я прочита́ю журна́л, пото́м пойду́ к профе́ссору[1]
Мы с жено́й пойдём к на́шему ста́рому дру́гу
Я напишу́ профе́ссору письмо́
Я поцелу́ю жену́ и поговорю́ с ней
Он поцелу́ет жену́ и поговори́т с ней
Что вы ска́жете ей? Я скажу́ ей, что я купи́л кни́ги.
Он ничего́ не ска́жет ей
Я прочита́ю кни́гу, пото́м пообе́даю

[1] 'to the professor's'.

4 FUTURE OF ДАТЬ

The future perfective of the verb 'to give' дать is very irregular:

я дам
ты дашь
он даст
мы дади́м
вы дади́те
они́ даду́т

Я дам тебе́ письмо́
Ты дашь профе́ссору письмо́, когда́ ты бу́дешь у него́[1]
— Кому́ он даст? — Он даст профе́ссору.
Мы дади́м ему́ э́ти кни́ги
А вы дади́те ему́ ста́рые пи́сьма?
— Они́ даду́т нам э́ти журна́лы? — Да, даду́т.

5 CONTINUOUS PASSAGE (Continued from Paragraph 3, Lesson 19)

Оте́ц сказа́л: — Я уже́ чита́л э́ти кни́ги.
— Тогда́ я их дам на́шему дру́гу.
— Кому́ ты дашь их?
— Профе́ссору.
— А что ты бу́дешь де́лать до́ма? спроси́л оте́ц.
— Поцелу́ю жену́, поговорю́ с ней, скажу́ ей, что я купи́л кни́ги, что ты не хо́чешь их, потому́ что ты уже́ чита́л их, и что я их дам профе́ссору, на́шему ста́рому дру́гу.
— А пото́м?
— Пото́м я пообе́даю.
— А по́сле?
— По́сле чего́?
— По́сле обе́да.
— По́сле обе́да я бу́ду чита́ть. Я прочита́ю журна́л, пото́м пойду́ к профе́ссору. Мы с жено́й пойдём к на́шему ста́рому дру́гу и дади́м ему́ э́ти кни́ги. А ты бу́дешь обе́дать с на́ми?
— Нет, не бу́ду.
— Что ты бу́дешь де́лать?
— Я бу́ду писа́ть письмо́. Я напишу́ профе́ссору письмо́ и дам тебе́ письмо́. Пото́м ты дашь профе́ссору письмо́, когда́ бу́дешь у него́.

[1] 'when you are at his house'. Cf. у меня́ 'at my house', у вас 'at your house', etc. Note that after когда́ and е́сли Russian requires the future if the event takes place in the future.

VOCABULARY

The figure in brackets after each word indicates the lesson where the word first occurs. After Lesson 7 only the infinitive of verbs is recorded. The infinitive is usually given in both aspects, imperfective first, perfective second. Ignore the second of these infinitives until Lesson 18. If a perfective is used in the course it is recorded as a separate item with a cross-reference to the imperfective aspect of the same verb. The vocabulary does *not* contain words which are used only as illustrations of pronunciation. To remind you: the order of the letters of the alphabet is – а б в г д е ж з и й к л м н о п р с т у ф х ц ч ш щ ъ ы ь э ю я

А

А (2)	and, but
англича́нин (12)	Englishman

Б

Библиоте́ка (12)	library
бо́льше не (8)	no longer, no more
большо́й (17)	big
брат (12)	brother
быть (10)	to be

В

В (4),	in (+ prep.), into (+ acc.)
вас (7), gen., acc., prep. of вы	you
Ве́ра (1)	Vera
вести́ (14)	to lead, to be leading
ви́деть (13), уви́деть (18)	to see
влия́ние (11)	influence
води́ть (19)	to lead
вопро́с (2)	question
всё (19)	still, all the time
всегда́ (10)	always
вчера́ (10)	yesterday
вы (7)	you

Г

Где (1)	where
глаз (7)	eye
говори́т (2)	says, tells, speaks, talks
говори́ть (7), поговори́ть (18)	to speak, to talk
говори́ть (7), сказа́ть (18)	to say, to tell
го́род (1)	town, city

Д

Да (1)	yes
дава́ть (9), дать (19)	to give
далеко́ (3)	far, a long way
дать (19)	see дава́ть
два, две (9)	two
де́вушка (4)	girl
де́лает (3)	does
де́лать (10), сде́лать (18)	to do

де́ти (14)	children
для (3), + gen.	for
до (3), + gen.	(up) to; until
до́ктор (2)	doctor
дом (1)	house, home
до́ма (3)	at home
домо́й (5)	home(wards)
доро́га (5)	road
до свида́ния (8)	goodbye
друг (2)	friend

Е

Его́ (4), gen. and acc. of он and оно́	his, him
её (4), gen. and acc. of она́	her, hers
е́здить (19)	to go (in a vehicle), to travel
е́сли (6)	if
е́хать (19)	to go (in a vehicle), to travel

Ж

Жена́ (3)	wife
журна́л (2)	magazine

З

За (7), + instr. and acc.	behind, beyond
за́втрак (10)	breakfast
за́втракать (7), поза́втракать (18)	to have breakfast
за́втракают (5)	they are having breakfast
заплати́ть (18)	see плати́ть
здра́вствуйте (10)	how do you do, good morning, good evening, etc.
земля́ (11)	land, earth
зна́ет (2)	knows
знать (10)	to know

И

И (1)	and; also, too
Ива́н (1)	John
игра́ть (8)	to play
идёт (3)	goes, comes, is going/coming
идти́ (7), пойти́ (18)	to go, to come
из (11), + gen.	out of, from
и́ли (6)	or
иностра́нец, gen. иностра́нца (12)	foreigner
их (5), gen., acc. and prep. of они́	their, them

К

К (9), + dat.	towards, to
ка́рта (1)	map
кни́га (5)	book
когда́ (6)	when
ко́мната (1)	room
красне́ть (13), покрасне́ть (18)	to blush, to turn red
Кремль (11), m.	Kremlin
кто (1)	who

куда́ (14)	where, whither
купи́ть (19)	see покупа́ть

Л

Ле́нин (11)	Lenin
лес (2)	wood, forest
лета́ть (19)	to fly
лете́ть (19)	to fly
Ло́ндон (19)	London
лю́бит (2)	loves, likes
люби́ть (7)	to love, to like
лю́ди (14)	people

М

Мавзоле́й (11)	mausoleum
магази́н (5)	shop
ма́ленький (17)	small, little
ма́ло (3)	few, little
ма́льчик (5)	boy
Мари́я (1)	Mary
Ма́ша (3)	Masha (pet form of Мари́я)
маши́на (19)	machine; car
меня́ (6), gen. and acc. of я	(of) me
ме́сто (3)	place
мно́го (3)	much, many
мой (15)	my
молодо́й (17)	young
Москва́ (11)	Moscow
мочь (14)	to be able
музе́й (11)	museum
мы (6)	we

Н

На (6)	on (+ prep.), on to (+ acc.)
наконе́ц (9)	at last
написа́ть (18)	see писа́ть
нас (6), gen., acc. and prep. of мы	(of) us
наш (15)	our
не (1)	not, is not
него́ (4), gen. and acc. of он and оно́ after prepositions	him
недалеко́ (3)	not far, near
неде́ля (11)	week
неё (4), gen. and acc. of она́ after prepositions	her
несёт (3)	is carrying, carries
нести́ (7)	to carry
нет (1)	no
нет (3)	there is/are not; there is/are no
никогда́ (18)	never
никто́ (4)	nobody
ничего́ (15)	all right, never mind, it doesn't matter, (also gen. of ничто́)

ничто́ (15)	nothing
но (4)	but
носи́ть (19)	to carry

О

О/об/обо (8), + prep.	about, concerning
обе́даем (6)	we are having dinner
обе́дает (6)	is having dinner
обе́дать (10), пообе́дать (18)	to have dinner
оди́н, одна́, одно́ (12)	one
окно́ (1)	window
он (1)	he, it
она́ (1)	she, it
они́ (5)	they
оно́ (1)	it
опя́ть (19)	again
от (3), + gen.	from
оте́ц (2), gen. отца́	father
отве́т (4)	answer
отве́тить (19)	see отвеча́ть
отвеча́ть (10), отве́тить (19)	to answer, to reply
о́чень (5)	very

П

Писа́ть (8), написа́ть (18)	to write
письмо́ (8)	letter
пи́шет (8)	see писа́ть
пла́кать (8)	to cry, to weep
план (3)	plan
плати́ть (9), заплати́ть (18)	to pay
пла́чет (8)	see пла́кать
пло́щадь (11), f.	square (in a town)
по (14), + dat.	along, about, around
поговори́ть (18)	see говори́ть
под (11), + instr. and acc.	under, beneath
по́езд (19)	train
поза́втракать (18)	see за́втракать
пойти́ (18)	see идти́
покрасне́ть (18)	see красне́ть
покупа́ет (3)	buys
покупа́ть (10), купи́ть (19)	to buy
по́ле (2)	field
понима́ет (2)	understands
понима́ть (19), поня́ть (19)	to understand
поня́ть (19)	see понима́ть
попроси́ть (18)	see проси́ть
по́сле (10), + gen.	after
после́дний (15)	last
пото́м (6)	then, next
потому́ что (3)	because
поцелова́ть (18)	see целова́ть
почему́ (3)	why

проси́ть (9), попроси́ть (18)	to ask, to request
профе́ссор (2)	professor
прочита́ть (18)	see чита́ть
пять (12)	five

Р

Рабо́тать (7)	to work
револю́ция (11)	revolution
рестора́н (18)	restaurant
рука́ (7)	hand, arm

С

С/со (7), + instr.	with
сад (2)	garden
сде́лать (18)	see де́лать
село́ (6)	village
семь (13)	seven
сказа́ть (18)	see говори́ть
ско́лько (3)	how much, how many
сло́во (2)	word
слу́шать (10)	to listen
слу́шают (5)	they listen
со (15)	see с
Сове́тский Сою́з (19)	Soviet Union
спра́шивает (3)	asks
спра́шивать (10), спроси́ть (19)	to ask, to enquire
спроси́ть (19)	see спра́шивать
ста́нция (11)	station
ста́рый (15)	old
сто́ить (9)	to cost
студе́нт (5)	student
студе́нтка (12)	girl-student
сын (2)	son

Т

Там (1)	there
тебя́ (7), gen. and acc. of ты	you
тепе́рь (19)	now
тогда́ (19)	then, at that time
три (9)	three
туда́ (3)	there, thither
тут (1)	here
ты (7)	you

У

У (10), + gen.	at, near, by
уви́деть (18)	see ви́деть
уже́ (11)	already
у́лица (12)	street
университе́т (5)	university
у́хо (7)	ear
учи́тель (11)	teacher

Ф

Фунт (9)	pound

Х

Хлеб (3)	bread
ходи́ть (19)	to go
хорошо́ (3)	well; good, all right
хоте́ть (14)	to want
хотя́ (4)	although

Ц

Целова́ть (8), поцелова́ть (18)	to kiss
центр (5)	centre

Ч

Четы́ре (9)	four
чита́ет (2)	reads
чита́ть (7), прочита́ть (18)	to read
что (2)	what; that

Ш

Шёл, шла etc. (13)	p.t. of идти́
шесть (13)	six
ши́ллинг (9)	shilling
шко́ла (5)	school

Э

э́то (1)	this, that, it
э́тот (16)	this

Я

Я (1)	I